C000229090

Amélie Nothomb

Métaphysique des tubes

Présentation, notes, questions et après-texte établis par
JOSIANE GRINFAS
professeur de Lettres

MAGNARD

Sommaire

PRÉSENTATION

Amélie Nothomb a désormais rejoint la pléiade des auteurs qui, dans les manuels scolaires, illustrent le genre autobiographique ou, plus largement, celui de l'écriture de soi. Il serait d'ailleurs intéressant de savoir ce que pense de ce voisinage un écrivain qui affiche, presque comme un manifeste, l'humour et la distanciation.

De fait, pour l'auteur et le lecteur, ce titre sonne le départ d'une série d'aventures à la fois fondamentales et extraordinaires, organisées en épisodes qui pourraient s'appeler « Amélie et le tube », « Amélie et le chocolat blanc », « Amélie au jardin des délices » ou « Amélie et les carpes »… Comme Alice, le personnage créé par Lewis Carroll, la narratrice « passe de l'autre côté du miroir » pour essayer de retrouver et de fixer par l'écriture les fulgurances que la mémoire consciente et inconsciente a gardées des trois années qui l'ont fait naître au monde et à elle-même. Il s'agit d'un projet autobiographique proprement heuristique[1] – sinon métaphysique – : découvrir, y compris par le recours à la fiction, comment, en trois ans, elle est passée de l'état de « tube » (c'est l'idée qui « effleure » les parents), puis de monstre hurlant, à l'état « d'enfant dont rêvent les parents : à la fois sage et éveillée, silencieuse et présente, drôle et réfléchie, enthousiaste et métaphysique, obéissante et autonome » (p. 34, l. 18-20). Il s'agit aussi d'essayer de faire sentir, par le bouillonnement des images, des phrases, une expérience archaïque,

---

1. Qui a pour but et qui sert à une découverte.

individuelle et collective : celle des « hallucinantes métamorphoses » qui font passer le bébé, « l'enfançon » à l'état de petite fille – ou de petit garçon.

En effet, quand l'auteur choisit un titre pour le récit de sa haute enfance, elle choisit la singularité, l'étrangeté, voire l'excentricité[1], au sens étymologique du terme. Ce que Pierre Loti a nommé *Le Roman d'un enfant*, Romain Gary *La Promesse de l'aube*, ou Nathalie Sarraute *Enfance*, Amélie Nothomb le nomme *Métaphysique des tubes*… comme un avertissement au lecteur : toi qui entres dans ce texte, laisse toutes tes habitudes, prépare-toi à entendre des récits « dont on ne sait s'ils sont confondants de profondeur ou superbement désopilants. Peut-être sont-ils tout cela à la fois » (p. 10-11, l. 44-46).

Et ce, avec ce style qui donne son caractère unique à l'univers et à l'écriture d'Amélie Nothomb : un style frénétique et bondissant, parfois proche de la transe, de la danse et qui est une célébration du bonheur d'écrire pour soi et pour les autres.

À sa sœur qui lui demande pourquoi elle ment tout le temps (p. 101, l. 43), Amélie répond (p. 101, l. 49-50) : « Au fond, cela m'était égal, qu'on me croie ou non. Je continuerai à inventer, pour mon plaisir. » Et pour celui du lecteur.

---

1. Original, qui sort de la norme.

Amélie Nothomb
Métaphysique des tubes

Amélie Nothomb
Métaphysique des tubes

Au commencement il n'y avait rien. Et ce rien n'était ni vide ni vague : il n'appelait rien d'autre que lui-même. Et Dieu vit que cela était bon. Pour rien au monde il n'eût créé quoi que ce fût. Le rien faisait mieux que lui convenir : il le comblait.

5   Dieu avait les yeux perpétuellement ouverts et fixes. S'ils avaient été fermés, cela n'eût rien changé. Il n'y avait rien à voir et Dieu ne regardait rien. Il était plein et dense comme un œuf dur, dont il avait aussi la rondeur et l'immobilité.

   Dieu était l'absolue satisfaction. Il ne voulait rien, n'atten-
10 dait rien, ne percevait rien, ne refusait rien et ne s'intéressait à rien. La vie était à ce point plénitude qu'elle n'était pas la vie. Dieu ne vivait pas, il existait.

   Son existence n'avait pas eu pour lui de début perceptible. Certains grands livres ont des premières phrases si peu tapageuses
15 qu'on les oublie aussitôt et qu'on a l'impression d'être installé dans cette lecture depuis l'aube des temps. Semblablement, il était impossible de remarquer le moment où Dieu avait com- mencé à exister. C'était comme s'il avait existé depuis toujours.

   Dieu n'avait pas de langage et il n'avait donc pas de pensée.
20 Il était satiété[1] et éternité. Et tout ceci prouvait au plus haut point que Dieu était Dieu. Et cette évidence n'avait aucune importance, car Dieu se fichait éperdument d'être Dieu.

   Les yeux des êtres vivants possèdent la plus étonnante des propriétés : le regard. Il n'y a pas plus singulier. On ne dit pas

---

1. État de satisfaction.

25 des oreilles des créatures qu'elles ont un « écoutard », ni de leurs narines qu'elles ont un « sentard » ou un « reniflard ».

Qu'est-ce que le regard ? C'est inexprimable. Aucun mot ne peut approcher son essence[1] étrange. Et pourtant, le regard existe. Il y a même peu de réalités qui existent à ce point.

30 Quelle est la différence entre les yeux qui ont un regard et les yeux qui n'en ont pas ? Cette différence a un nom : c'est la vie. La vie commence là où commence le regard.

Dieu n'avait pas de regard.

Les seules occupations de Dieu étaient la déglutition, la
35 digestion et, conséquence directe, l'excrétion. Ces activités végétatives[2] passaient par le corps de Dieu sans qu'il s'en aperçoive. La nourriture, toujours la même, n'était pas assez excitante pour qu'il la remarque. Le statut de la boisson n'était pas différent. Dieu ouvrait tous les orifices nécessaires pour que les
40 aliments solides et liquides le traversent.

C'est pourquoi, à ce stade de son développement, nous appellerons Dieu le tube.

Il y a une métaphysique[3] des tubes. Slawomir Mrozek[4] a écrit sur les tuyaux des propos dont on ne sait s'ils sont confondants
45 de profondeur ou superbement désopilants[5]. Peut-être sont-ils

---

1. Nature profonde.
2. Qui ont rapport aux seules fonctions vitales.
3. Interrogation, recherche rationnelle, qui a pour objet de connaître les causes du monde, de l'être, de l'esprit.
4. Auteur polonais né en 1930, figure du théâtre de l'absurde.
5. Très drôles.

tout cela à la fois : les tubes sont de singuliers mélanges de plein et de vide, de la matière creuse, une membrane d'existence protégeant un faisceau d'inexistence. Le tuyau est la version flexible du tube : cette mollesse ne le rend pas moins énigmatique.

Dieu avait la souplesse du tuyau mais demeurait rigide et inerte[1], confirmant ainsi sa nature de tube. Il connaissait la sérénité absolue du cylindre. Il filtrait l'univers et ne retenait rien.

---

1. Sans mouvement.

Les parents du tube étaient inquiets. Ils convoquèrent des médecins pour qu'ils se penchent sur le cas de ce segment de matière qui ne semblait pas vivre.

Les docteurs le manipulèrent, lui donnèrent des tapes sur cer-
⁵ taines articulations pour voir s'il avait des mécanismes réflexes et constatèrent qu'il n'en avait pas. Les yeux du tube ne cillè-rent[1] pas quand les praticiens les examinèrent avec une lampe.

– Cet enfant ne pleure jamais, ne bouge jamais. Aucun son ne sort de sa bouche, dirent les parents.

¹⁰ Les médecins diagnostiquèrent une « apathie patholo-gique[2] », sans se rendre compte qu'il y avait là une contradic-tion dans les termes :

– Votre enfant est un légume. C'est très préoccupant.

Les parents furent soulagés par ce qu'ils prirent pour une
¹⁵ bonne nouvelle. Un légume, c'était de la vie.

– Il faut l'hospitaliser, décrétèrent les docteurs.

Les parents ignorèrent cette injonction[3]. Ils avaient déjà deux enfants qui appartenaient à la race humaine : ils ne trouvaient pas inacceptable d'avoir, en surplus, de la progéniture végétale.
²⁰ Ils en étaient même presque attendris.

Ils l'appelèrent gentiment « la Plante ».

En quoi tous se trompaient. Car les plantes, légumes com-pris, pour avoir une vie imperceptible à l'œil humain, n'en ont

---

1. Clignèrent.
2. Absence de réaction qui relève de la maladie.
3. Ordre.

pas moins une vie. Elles frémissent à l'approche de l'orage, pleu-
25 rent d'allégresse au lever du jour, se blindent de mépris
lorsqu'on les agresse et se livrent à la danse des sept voiles quand
la saison est aux pollens. Elles ont un regard, c'est hors de doute,
même si personne ne sait où sont leurs pupilles.

Le tube, lui, était passivité pure et simple. Rien ne l'affectait,
30 ni les changements du climat, ni la tombée de la nuit, ni les
cent petites émeutes du quotidien, ni les grands mystères indi-
cibles[1] du silence.

Les tremblements de terre hebdomadaires du Kansai[2], qui
faisaient pleurer d'angoisse ses deux aînés, n'avaient aucune
35 emprise sur lui. L'échelle de Richter, c'était bon pour les autres.
Un soir, un séisme de 5,6 ébranla la montagne où trônait la
maison ; des plaques de plafond s'effondrèrent sur le berceau
du tube. Quand on le dégagea, il était l'indifférence même : ses
yeux fixaient sans les voir ces manants[3] venus le déranger sous
40 les décombres où il était bien au chaud.

Les parents s'amusaient du flegme de leur Plante et décidèrent de la mettre à l'épreuve. Ils cesseraient de lui donner à boire
et à manger jusqu'à ce qu'elle réclame : ainsi, elle finirait bien
par être forcée de réagir.
45 Tels furent pris qui crurent prendre : le tube accepta l'inani-
tion[4] comme il acceptait tout, sans l'ombre d'une désapproba-

1. Qu'on ne peut pas dire.
2. Région située au cœur de l'île Honshu, principale île du Japon.
3. Pauvres gens.
4. État de faiblesse dû au manque de nourriture.

tion ou d'un assentiment. Manger ou ne pas manger, boire ou ne pas boire, cela lui était égal : être ou ne pas être, telle n'était pas sa question.

50 Au terme du troisième jour, les parents effarés l'examinèrent : il avait un peu maigri et ses lèvres entrouvertes étaient desséchées, mais il n'avait pas l'air de se porter plus mal. Ils lui administrèrent un biberon d'eau sucrée qu'il engloutit sans passion.

– Cet enfant se serait laissé mourir sans se plaindre, dit la 60 mère horrifiée.

– N'en parlons pas aux médecins, dit le père. Ils nous trouveraient sadiques.

De fait, les parents n'étaient pas sadiques : simplement épouvantés de constater que leur rejeton était dépourvu d'instinct 65 de survie. Les effleura l'idée que leur bébé n'était pas une plante mais un tube : ils rejetèrent aussitôt cette pensée insoutenable.

Il était dans la nature des parents d'être insouciants et ils oublièrent l'épisode du jeûne. Ils avaient trois enfants : un garçon, une fille et un légume. Cette diversité leur plaisait d'au70 tant plus que les deux aînés ne cessaient de courir, de sauter, de crier, de se disputer et d'inventer de nouvelles bêtises : il fallait toujours être derrière eux pour les surveiller.

Avec leur dernier, au moins, ils n'avaient pas ce genre de souci. On pouvait le laisser des journées entières sans baby-sit75 ter : on le retrouvait le soir dans une position identique au matin. On changeait son lange, on le nourrissait, c'était fini. Un poisson rouge dans un aquarium leur eût donné plus de tracas.

En outre, n'était son absence de regard, le tube était d'appa-
80 rence normale : c'était un beau bébé calme qu'on pouvait montrer aux invités sans rougir. Les autres parents étaient même
jaloux.

En vérité, Dieu était l'incarnation de la force d'inertie – la
plus forte des forces. La plus paradoxale[1] des forces, aussi : quoi
85 de plus bizarre que cet implacable pouvoir qui émane de ce qui
ne bouge pas ? La force d'inertie, c'est la puissance du larvaire[2].
Quand un peuple refuse un progrès facile à mettre en œuvre,
quand un véhicule poussé par dix hommes reste sur place,
quand un enfant s'avachit devant la télévision pendant des
90 heures, quand une idée dont on a prouvé l'inanité[3] continue à
nuire, on découvre, médusé, l'effroyable emprise de l'immobile.

Tel était le pouvoir du tube.

Il ne pleurait jamais. Même au moment de sa naissance, il
n'avait émis aucune plainte ni aucun son. Sans doute ne trou-
95 vait-il le monde ni bouleversant ni touchant.

Au commencement, la mère avait essayé de lui donner le
sein. Aucune lueur ne s'était éveillée dans l'œil du bébé à la vue
de la mamelle nourricière : il resta nez à nez avec cette dernière
sans en rien faire. Vexée, la mère lui glissa le téton dans la
100 bouche. Ce fut à peine si Dieu le suça. La mère décida alors de
ne pas l'allaiter.

Elle avait raison : le biberon correspondait mieux à sa nature

---

1. Contraire à la logique.
2. État de larve.
3. Inutilité.

de tube, qui se reconnaissait dans ce récipient cylindrique, quand la rotondité mammaire ne lui inspirait aucun lien de
105 parenté.

Ainsi, la mère le biberonnait plusieurs fois par jour, sans savoir qu'elle assurait de la sorte la connexion entre deux tubes. L'alimentation divine relevait de la plomberie.

« Tout coule », « tout est mouvance », « on ne se baigne
110 jamais deux fois dans le même fleuve », etc. Le pauvre Héraclite[1] se fût suicidé s'il avait rencontré Dieu, qui était la négation de sa vision fluide de l'univers. Si le tube avait possédé une forme de langage, il eût rétorqué au penseur d'Éphèse[2] : « Tout se fige », « tout est inertie », « on se baigne
115 toujours dans le même marécage », etc.

Heureusement, aucune forme de langage n'est possible sans l'idée du mouvement, qui en est l'un des moteurs initiaux. Et aucune espèce de pensée n'est possible sans langage. Les concepts philosophiques[3] de Dieu n'étaient donc ni pensables
120 ni communicables : ils ne pouvaient par conséquent nuire à personne et cela était bon, car de tels principes eussent sapé[4] le moral de l'humanité pour longtemps.

Les parents du tube étaient de nationalité belge. Par consé-

---

1. Penseur grec du VIe siècle av. J.-C., selon lequel tout s'écoule, rien ne subsiste.
2. Ville de l'ancienne Asie Mineure, lieu de naissance d'Héraclite (à l'ouest de l'actuelle Turquie).
3. Idées qui fondent une philosophie.
4. Atteint, détruit.

quent, Dieu était belge, ce qui expliquait pas mal de désastres
125 depuis l'aube des temps. Il n'y a là rien d'étonnant : Adam et
Ève parlaient flamand, comme le prouva scientifiquement un
prêtre du plat pays, il y a quelques siècles.

Le tube avait trouvé une solution ingénieuse aux querelles
linguistiques nationales[1] : il ne parlait pas, il n'avait jamais rien
130 dit, il n'avait même jamais produit le moindre son.

Ce n'était pas tant son mutisme[2] qui inquiétait ses parents
que son immobilité. Il atteignit l'âge d'un an sans avoir esquissé
son premier mouvement. Les autres bébés faisaient leurs premiers pas, leurs premiers sourires, leurs premiers quelque chose.
135 Dieu, lui, ne cessait d'effectuer son premier rien du tout.

C'était d'autant plus étrange qu'il grandissait. Sa croissance
était d'une normalité absolue. C'était le cerveau qui ne suivait
pas. Les parents le considéraient avec perplexité : il y avait dans
leur maison un néant qui prenait de plus en plus de place.

140 Bientôt, le berceau devint trop petit. Il fallut transplanter le
tube dans le lit-cage qui avait déjà servi au frère et à la sœur.

– Ce changement va peut-être l'éveiller, espéra la mère.

Ce changement ne changea rien.

Depuis le commencement de l'univers, Dieu dormait dans
145 la chambre de ses parents. Il ne les gênait pas, c'était le moins
qu'on pût dire. Une plante verte eût été plus bruyante. Il ne les
regardait même pas.

---

1. La narratrice fait allusion à la guerre qui, en Belgique, depuis 1830, oppose le flamand au
wallon.
2. État de celui qui ne parle pas.

Le temps est une invention du mouvement. Celui qui ne bouge pas ne voit pas le temps passer.

150 Le tube n'avait aucune conscience de la durée. Il atteignit l'âge de deux ans comme il eût atteint celui de deux jours ou de deux siècles. Il n'avait toujours pas changé de position ni même tenté d'en changer : il demeurait couché sur le dos, les bras le long du corps, comme un gisant[1] minuscule.

155 La mère le prit alors par les aisselles pour le mettre debout ; le père plaça les petites mains sur les barreaux du lit-cage pour qu'il ait l'idée de s'y tenir. Ils lâchèrent l'édifice ainsi obtenu : Dieu retomba en arrière et, nullement affecté, continua sa méditation.

160 — Il lui faut de la musique, dit la mère. Les enfants aiment la musique.

Mozart, Chopin, les disques des *101 Dalmatiens*, les Beatles et le *shaku hachi*[2] produisirent sur sa sensibilité une identique absence de réaction.

165 Les parents renoncèrent à faire de lui un musicien. Ils renoncèrent d'ailleurs à en faire un être humain.

Le regard est un choix. Celui qui regarde décide de se fixer sur telle chose et donc forcément d'exclure de son attention le reste de son champ de vision. C'est en quoi le regard, qui est 170 l'essence de la vie, est d'abord un refus.

Vivre signifie refuser. Celui qui accepte tout ne vit pas plus

---

1. Statue du défunt, couchée sur sa tombe.
2. Flûte en bambou.

que l'orifice du lavabo. Pour vivre, il faut être capable de ne plus mettre sur le même plan, au-dessus de soi, la maman et le plafond. Il faut refuser l'un des deux pour choisir de s'intéres-
175 ser soit à la maman soit au plafond. Le seul mauvais choix est l'absence de choix.

Dieu n'avait rien refusé parce qu'il n'avait rien choisi. C'est pourquoi il ne vivait pas.

Les bébés, au moment de leur naissance, crient. Ce hurle-
180 ment de douleur est déjà une révolte, cette révolte déjà un refus. C'est pourquoi la vie commence au jour de la naissance, et non avant, quoi qu'en disent certains.

Le tube n'avait pas émis le moindre décibel lors de l'accou-chement.

185 Les médecins avaient pourtant déterminé qu'il n'était ni sourd, ni muet, ni aveugle. C'était seulement un lavabo auquel manquait le bouchon. S'il avait pu parler, il eût répété sans trêve ce mot unique : « oui ».

Les gens vouent un culte à la régularité. Ils aiment à croire que
190 l'évolution résulte d'un processus normal et naturel ; l'espèce humaine serait régie par une sorte de fatalité biologique intérieure qui l'a conduite à cesser de marcher à quatre pattes vers l'âge d'un an ou à faire ses premiers pas après quelques millénaires.

Personne ne veut croire aux accidents. Ces derniers, expres-
195 sion soit d'une fatalité extérieure[1], ce qui est déjà fâcheux, soit

---

1. D'une destinée qui échappe à l'humain.

du hasard, ce qui est pire, sont bannis de l'imaginaire humain. Si quelqu'un osait dire : « C'est par accident que, vers l'âge d'un an, j'ai fait mes premiers pas » ou : « C'est par accident qu'un jour, l'homme a joué au bipède », il serait aussitôt considéré comme fou.

La théorie des accidents est inacceptable car elle laisse supposer que les choses auraient pu se passer autrement. Les gens n'admettent pas l'idée qu'un enfant d'un an n'ait pas l'idée de marcher ; cela reviendrait à admettre que l'homme aurait pu ne pas avoir l'idée de marcher sur deux pattes. Et qui pourrait croire qu'une espèce aussi brillante aurait pu n'y pas songer ?

Le tube, à deux ans, n'avait même pas essayé le quadrupédisme, ni d'ailleurs le mouvement. Il n'avait jamais essayé le son non plus. Les adultes en déduisaient qu'il y avait un blocage dans son évolution. Jamais ils n'auraient pu en déduire que le bébé n'avait pas encore connu d'accident ; car qui pourrait croire que, sans accident, l'homme resterait parfaitement inerte ?

Il y a les accidents physiques et les accidents mentaux. Les gens nient carrément l'existence de ces derniers : on n'en parle jamais comme moteur de l'évolution.

Or, il n'y a rien d'aussi fondamental dans le devenir humain que les accidents mentaux. L'accident mental est une poussière entrée par hasard dans l'huître du cerveau, malgré la protection des coquilles closes de la boîte crânienne. Soudain, la matière tendre qui vit au cœur du crâne est perturbée, affolée, menacée par cette chose étrangère qui s'y est glissée ; l'huître qui végétait en paix déclenche l'alarme et cherche une parade[1]. Elle invente une substance merveilleuse, la nacre, en enrobe l'intruse particule[2] pour se l'incorporer et crée ainsi la perle.

Il peut aussi arriver que l'accident mental soit sécrété par le cerveau lui-même : ce sont les accidents les plus mystérieux et les plus graves. Une circonvolution[3] de matière grise, sans motif, donne naissance à une idée terrible, à une pensée effarante – et en une seconde, c'en est fini pour toujours de la tranquillité de l'esprit. Le virus opère. Impossible de l'enrayer.

Alors, contraint et forcé, l'être sort de sa torpeur. À la question affreuse et informulable qui l'a assailli, il cherche et trouve mille réponses inadéquates. Il se met à marcher, à parler, à adopter cent attitudes inutiles par lesquelles il espère s'en sortir.

Non seulement il ne s'en sort pas, mais il empire son cas. Plus il parle, moins il comprend, et plus il marche, plus il fait du surplace. Très vite, il regrettera sa vie larvaire, sans oser se l'avouer.

Il existe pourtant des êtres qui ne subissent pas la loi de l'évolution, qui ne rencontrent pas d'accident fatal. Ce sont les légumes cliniques. Les médecins se penchent sur leur cas. En vérité, ils sont ce que nous voudrions être. C'est la vie qui devrait être tenue pour un mauvais fonctionnement.

---

1. Défense.
2. Celle qui s'est introduite en elle.
3. Pli.

C'était un jour ordinaire. Il ne s'était rien passé de spécial. Les parents exerçaient leur métier de parents, les enfants exécutaient leur mission d'enfants, le tube se concentrait sur sa vocation cylindrique.

5 Ce fut pourtant le jour le plus important de son histoire. Comme tel, on n'en a gardé aucune trace. Semblablement, on n'a conservé aucune archive du jour où un homme s'est mis debout pour la première fois, ni du jour où un homme a enfin compris la mort. Les événements les plus fondamentaux de 10 l'humanité sont passés presque inaperçus.

Soudain, la maison se mit à retentir de hurlements. La mère et la gouvernante, d'abord pétrifiées, cherchèrent l'origine de ces cris. Un singe s'était-il introduit dans la demeure ? Un fou s'était-il échappé d'un asile ?

15 En désespoir de cause, la mère alla regarder dans sa chambre. Ce qu'elle y vit la stupéfia : Dieu était assis dans son lit-cage et hurlait autant qu'un bébé de deux ans peut hurler.

La mère s'approcha de la scène mythologique : elle ne reconnaissait plus ce qui pendant deux années avait constitué un 20 spectacle si apaisant. Il avait toujours eu ses yeux grands ouverts et fixes, de sorte que la couleur gris-vert en avait été facile à identifier ; à présent, ses pupilles étaient entièrement noires, d'un noir de paysage incendié.

Qu'avait-il pu y avoir d'assez fort pour brûler ces yeux pâles 25 et les rendre noirs comme du charbon ? Qu'avait-il pu se passer d'assez terrible pour le réveiller d'un si long sommeil et le transformer en cette machine à crier ?

La seule évidence, c'était que l'enfant était furieux. Une colère fabuleuse l'avait tiré de sa torpeur[1], et si personne n'en 30 connaissait l'origine, le motif devait en être très grave, au vu de son ampleur.

La mère, fascinée, vint prendre son rejeton dans ses bras. Elle dut aussitôt le déposer dans le lit-cage car il gesticulait de tous ses membres et la cognait.

35 Elle courut dans la maison en clamant : « La Plante n'est plus une plante ! » Elle appela le père pour qu'il vienne sur les lieux du phénomène. Son frère et sa sœur furent invités à s'extasier devant la sainte colère de Dieu.

Après quelques heures, il cessa de hurler, mais ses yeux res-40 tèrent noirs de rage. Il eut un regard très fâché pour l'huma-nité qui l'entourait. Puis, épuisé par tant de mauvaise humeur, il s'allongea et s'endormit.

La famille applaudit. Ce fut considéré comme une excellente nouvelle. L'enfant était enfin vivant.

45 Comment expliquer cette naissance postérieure de deux ans à l'accouchement ?

Aucun médecin ne trouva la clé du mystère. C'était comme s'il avait eu besoin de deux années de grossesse extra-utérine supplémentaires pour devenir opérationnel.

50 Oui, mais pourquoi cette colère ? La seule cause que l'on puisse supposer était l'accident mental. Quelque chose était

---

1. État d'inertie.

apparu dans son cerveau qui lui avait semblé insoutenable. Et en une seconde, la matière grise s'était mise en branle. Des influx nerveux avaient circulé en cette chair inerte. Son corps
55 avait commencé à bouger.

Ainsi, les plus grands Empires peuvent s'effondrer pour des motifs parfaitement inconnaissables. D'admirables enfançons[1] immobiles comme des statues peuvent, en une chiquenaude, se muer en bêtes braillardes. Le plus étonnant est que cela
60 enchante leur famille.

Sic transit tubi gloria[2].

Le père était aussi excité que si un quatrième enfant lui était né.

Il téléphona à sa mère qui demeurait à Bruxelles.
65 – La Plante s'est réveillée ! Prends un avion et viens !

La grand-mère dit qu'elle allait se faire couper quelques nouveaux tailleurs avant de venir : c'était une femme très élégante. Cela ajournait sa visite de plusieurs mois.

Entre-temps, les parents commençaient à regretter le légume
70 d'antan. Dieu ne décolérait pas. Il fallait presque lui jeter son biberon, de peur de recevoir un coup. Il pouvait se calmer pendant quelques heures, mais on ne savait jamais ce que cela présageait.

Le scénario nouveau était celui-ci : on profitait d'un moment
75 où il était tranquille pour prendre le bébé et le mettre dans son

---

1. Petits enfants.
2. C'est ainsi que la gloire toucha le tube.

parc. Il restait d'abord hébété à contempler les jouets qui l'entouraient.

Peu à peu, un vif désagrément s'emparait de lui. Il s'apercevait que ces objets existaient en dehors de lui, sans avoir besoin de son règne. Cela lui déplaisait et il criait.

D'autre part, il avait observé que les parents et leurs satellites produisaient avec leur bouche des sons articulés bien précis : ce procédé semblait leur permettre de contrôler les choses, de se les annexer.

Il eût voulu faire de même. N'était-ce pas l'une des principales prérogatives[1] divines que de nommer l'univers ? Il désignait alors du doigt un jouet et ouvrait la bouche pour lui donner l'existence : mais les sons qu'il produisait ne formaient pas des suites cohérentes[2]. Il en était le premier surpris, car il se sentait tout à fait capable de parler. L'étonnement passé, il trouvait cette situation humiliante et intolérable. La colère s'emparait de lui et il se mettait à hurler sa rage.

Tel était le sens de ses cris :

– Vous bougez vos lèvres et il en sort du langage ! Je bouge les miennes et il n'en sort que du bruit ! Cette injustice est insupportable ! Je gueulerai jusqu'à ce que ça se transforme en mots !

Telle était l'interprétation de la mère :

– Être encore un bébé à deux ans, ce n'est pas normal. Il se rend compte de son retard et ça l'énerve.

Faux : Dieu ne se trouvait absolument pas en retard. Qui dit

1. Pouvoirs.
2. Qui produisent un sens.

retard dit comparaison. Dieu ne se comparait pas. Il sentait en
lui un pouvoir gigantesque et s'offusquait de[1] se découvrir incapable de l'exercer. Sa bouche le trahissait. Il ne doutait pas un
instant de sa divinité et s'indignait que ses propres lèvres n'aient
105 pas l'air au courant.

La mère s'approchait de lui et prononçait des mots simples
en articulant très fort :

– Papa ! Maman !

Il était furieux qu'elle lui propose d'aussi sottes imitations :
110 ne savait-elle donc pas à qui elle avait affaire ? Le maître du langage, c'était lui. Jamais il ne s'abaisserait à répéter « Maman »
et « Papa ». À titre de représailles[2], il hurlait de plus belle et de
plus laide.

Peu à peu, les parents commencèrent à évoquer leur ancien
115 enfant. Avaient-ils gagné au change ? Ils avaient un rejeton mystérieux et calme et se retrouvaient avec un chiot doberman.

– Tu te souviens comme elle était jolie, la Plante, avec ses
grands yeux sereins ?

– Et les bonnes nuits qu'on passait !
120 C'en était fini de leur sommeil : Dieu était l'insomnie per-
sonnifiée. C'était à peine s'il dormait deux heures par nuit. Et
dès qu'il ne dormait pas, il manifestait sa colère par des cris.

– Ça va ! le tançait[3] le père. On le sait, que tu viens de pas-

---

1. S'indignait de.
2. Vengeance.
3. Réprimandait.

ser deux années à roupiller. Ce n'est pas une raison pour ne plus
125 permettre à personne de dormir.

Dieu se conduisait comme Louis XIV : il ne tolérait pas
qu'on dorme s'il ne dormait pas, qu'on mange s'il ne mangeait
pas, qu'on marche s'il ne marchait pas et qu'on parle s'il ne parlait pas. Ce dernier point, surtout, le rendait fou.

130 Les médecins ne comprirent pas davantage ce nouvel état que
le précédent : l'« apathie pathologique » s'était muée en « irri-
tabilité pathologique » sans qu'aucune analyse n'explique le
diagnostic. Ils préférèrent recourir à une sorte de bon sens
populaire :

135 – C'est pour compenser les deux années précédentes. Votre
enfant finira bien par se calmer.

« Si je ne l'ai pas jeté par la fenêtre auparavant », pensait la
mère exaspérée.

Les tailleurs de la grand-mère furent prêts. Elle les mit dans
140 une valise, passa chez le coiffeur et prit l'avion Bruxelles-Osaka[1]
qui, en 1970, effectuait le trajet en quelque vingt heures.

Les parents l'attendaient à l'aéroport. Ils ne s'étaient pas vus
depuis 1967 : le fils fut enlacé, la belle-fille fut congratulée[2] et
le Japon admiré.

145 En chemin vers la montagne, on parla des enfants : les deux
aînés étaient merveilleux, le troisième était un problème. « On

---

1. Ville du sud de l'île de Honshu.
2. Félicitée et remerciée.

n'en veut plus ! » La grand-mère assura que tout allait s'arranger.

La beauté de la maison l'enchanta. « Que c'est japonais ! » s'exclama-t-elle en regardant la salle de *tatami*[1] et le jardin qui, en ce mois de février, blanchissait déjà sous les pruniers en fleur.

Elle n'avait plus vu le frère et la sœur depuis trois années. Elle s'extasia des sept ans du garçon et des cinq ans de la fille. Elle demanda alors à être présentée au troisième enfant, qu'elle n'avait encore jamais rencontré.

On ne voulut pas l'accompagner dans l'antre[2] du monstre : « C'est la première à gauche, tu ne peux pas te tromper. » De loin, on entendait des hurlements rauques. La grand-mère prit quelque chose dans son sac de voyage et marcha courageusement vers l'arène.

Deux ans et demi. Cris, rage, haine. Le monde est inaccessible aux mains et à la voix de Dieu. Autour de lui, les barreaux du lit-cage. Dieu est enfermé. Il voudrait nuire et n'y parvient pas. Il se venge sur le drap et la couverture qu'il martèle de coups de pied.

Au-dessus de lui, le plafond et ses fissures qu'il connaît par cœur. Ce sont ses seuls interlocuteurs, c'est donc à eux qu'il hurle son mépris. Visiblement, le plafond s'en fout. Dieu en est contrarié.

Soudain, le champ de vision se remplit d'un visage inconnu et inidentifiable. Qu'est-ce que c'est ? C'est un humain adulte,

---

1. Salle dont le sol est couvert d'une natte.
2. Caverne.

du même sexe que la mère, semble-t-il. La première surprise
passée, Dieu manifeste son mécontentement par un long râle.

Le visage sourit. Dieu connaît ça : on essaie de l'amadouer[1].
Ça ne prend pas. Il montre les dents. Le visage laisse tomber
175 des mots avec sa bouche. Dieu boxe les paroles au vol. Ses
poings fermés rossent[2] les sons et les mettent K.-O.

Dieu sait qu'après, le visage essaiera de tendre la main vers
lui. Il a l'habitude : les adultes approchent toujours leurs doigts
de sa figure. Il décide qu'il mordra l'index de l'inconnue. Il se
180 prépare.

En effet, une main apparaît dans son champ de vision mais
– stupeur ! – il y a entre ses doigts un bâton blanchâtre. Dieu
n'a jamais vu ça et en oublie de crier.

– C'est du chocolat blanc de Belgique, dit la grand-mère à
185 l'enfant qu'elle découvre.

De ces mots, Dieu ne comprend que « blanc » : il connaît,
il a vu ça sur le lait et les murs. Les autres vocables sont obs-
curs : « chocolat » et surtout « Belgique ». Entre-temps, le bâton
est près de sa bouche.

190 – C'est pour manger, dit la voix.

Manger : Dieu connaît. C'est une chose qu'il fait souvent.
Manger, c'est le biberon, la purée avec des morceaux de viande,
la banane écrasée avec la pomme râpée et le jus d'orange.

Manger, ça sent. Ce bâton blanchâtre a une odeur que Dieu

---

1. Rendre doux, sage.
2. Donnent des coups.

195   ne connaît pas. Ça sent meilleur que le savon et la pommade. Dieu a peur et envie en même temps. Il grimace de dégoût et salive de désir.

En un soubresaut[1] de courage, il attrape la nouveauté avec ses dents, la mâche mais ce n'est pas nécessaire, ça fond sur la
200   langue, ça tapisse le palais, il en a plein la bouche – et le miracle a lieu.

La volupté lui monte à la tête, lui déchire le cerveau et y fait retentir une voix qu'il n'avait jamais entendue :

– C'est moi ! C'est moi qui vis ! C'est moi qui parle ! Je ne
205   suis pas « il » ni « lui », je suis moi ! Tu ne devras plus dire « il » pour parler de toi, tu devras dire « je ». Et je suis ton meilleur ami : c'est moi qui te donne le plaisir.

Ce fut alors que je naquis, à l'âge de deux ans et demi, en février 1970, dans les montagnes du Kansai, au village de
210   Shukugawa, sous les yeux de ma grand-mère paternelle, par la grâce du chocolat blanc.

La voix, qui depuis ne s'est jamais tue, continua à parler dans ma tête :

– C'est bon, c'est sucré, c'est onctueux, j'en veux encore !
215   Je remordis dans le bâton en rugissant.

– Le plaisir est une merveille, qui m'apprend que je suis moi. Moi, c'est le siège du plaisir. Le plaisir, c'est moi : chaque fois qu'il y aura du plaisir, il y aura moi. Pas de plaisir sans moi, pas de moi sans plaisir !

---

1. Sursaut

220 Le bâton disparaissait en moi, bouchée par bouchée. La voix
hurlait de plus en plus fort dans ma tête :

– Vive moi ! Je suis formidable comme la volupté que je res-
sens et que j'ai inventée ! Sans moi, ce chocolat est un bloc de
rien. Mais on le met dans ma bouche et il devient le plaisir. Il
225 a besoin de moi.

Cette pensée se traduisait par des éructations[1] sonores de plus
en plus enthousiastes. J'ouvrais des yeux énormes, je secouais
les jambes de joie. Je sentais que les choses s'imprimaient dans
une partie molle de mon cerveau qui gardait trace de tout.

230 Morceau par morceau, le chocolat était entré en moi. Je
m'aperçus alors qu'au bout de la friandise défunte il y avait une
main et qu'au bout de cette main il y avait un corps surmonté
d'un visage bienveillant. En moi, la voix dit :

– Je ne sais pas qui tu es mais vu ce que tu m'as apporté à
235 manger, tu es quelqu'un de bien.

Les deux mains soulevèrent mon corps du lit-cage et je fus
dans des bras inconnus.

Mes parents stupéfaits virent arriver la grand-mère souriante
qui portait une enfant sage et contente.

240 – Je vous présente ma grande amie, dit-elle, triomphante.

Je me laissai transbahuter de bras en bras avec bonté. Mon
père et ma mère n'en revenaient pas de la métamorphose : ils
étaient heureux et vexés. Ils questionnèrent la grand-mère.

---

1. Cris.

Celle-ci se garda bien de révéler la nature de l'arme secrète à
245 laquelle elle avait recouru. Elle préféra laisser planer un mystère. On lui supposa des dons de démonologie[1]. Personne
n'avait prévu que la bête se rappellerait son exorcisme.

Les abeilles savent, elles, que seul le miel donne aux larves le
goût de la vie. Elles ne mettraient pas au monde d'aussi ardentes
250 butineuses en les nourrissant de purée avec des petits carrés de
viande. Ma mère avait des théories sur le sucre, qu'elle rendait
responsable de tous les maux de l'humanité. C'est pourtant au
« poison blanc » (ainsi le nommait-elle) qu'elle doit d'avoir un
troisième enfant qui soit d'une humeur acceptable.

255 Je me comprends. À l'âge de deux ans, j'étais sortie de ma
torpeur, pour découvrir que la vie était une vallée de larmes
où l'on mangeait des carottes bouillies avec du jambon. J'avais
dû avoir le sentiment de m'être fait avoir. À quoi bon se tuer
à naître si ce n'est pour connaître le plaisir ? Les adultes ont
260 accès à mille sortes de voluptés, mais pour les enfançons, il
n'y a que la gourmandise qui puisse ouvrir les portes de la
délectation.

La grand-mère m'avait rempli la bouche de sucre : soudain,
l'animal furieux avait appris qu'il y avait une justification à tant
265 d'ennui, que le corps et l'esprit servaient à exulter[2] et qu'il ne
fallait donc pas en vouloir ni à l'univers entier ni à soi-même
d'être là. Le plaisir profita de l'occasion pour nommer son ins-
trument : il l'appela moi – et c'est un nom que j'ai conservé.

---

1. Étude des démons.
2. Ressentir une joie intense.

Il existe depuis très longtemps une immense secte d'imbé-
270 ciles qui opposent sensualité et intelligence. C'est un cercle
vicieux : ils se privent de volupté[1] pour exalter leurs capacités
intellectuelles, ce qui a pour résultat de les appauvrir. Ils devien-
nent de plus en plus stupides, ce qui les conforte dans leur
conviction d'être brillants – car on n'a rien inventé de mieux
275 que la bêtise pour se croire intelligent.

La délectation[2] rend humble et admiratif envers ce qui l'a
rendue possible, le plaisir éveille l'esprit et le pousse tant à la
virtuosité qu'à la profondeur. C'est une si puissante magie qu'à
défaut de volupté, l'idée de volupté suffit. Du moment qu'existe
280 cette notion, l'être est sauvé. Mais la frigidité[3] triomphante se
condamne à la célébration de son propre néant.

On rencontre dans les salons des gens qui se vantent haut et
fort de s'être privés de tel ou tel délice pendant vingt-cinq ans.
On rencontre aussi de superbes idiots qui se glorifient de ne
285 jamais écouter de musique, de ne jamais ouvrir un livre ou de
ne jamais aller au cinéma. Il y a aussi ceux qui espèrent susciter l'admiration par leur chasteté[4] absolue. Il faut bien qu'ils en
tirent vanité[5] : c'est le seul contentement qu'ils auront dans leur
vie.

---

1. Plaisir sensuel.
2. Fait de savourer.
3. Fait de rester froid au plaisir.
4. Vertu, pureté.
5. Sentiment de grandeur.

En me donnant une identité, le chocolat blanc m'avait aussi fourni une mémoire : depuis février 1970, je me souviens de tout. À quoi bon se rappeler ce qui n'est pas lié au plaisir ? Le souvenir est l'un des alliés les plus indispensables de la volupté.

Une affirmation aussi énorme – « je me souviens de tout » – n'a aucune chance d'être crue par quiconque. Cela n'a pas d'importance. S'agissant d'un énoncé aussi invérifiable, je vois moins que jamais l'intérêt d'être crédible.

Certes, je ne me rappelle pas les soucis de mes parents, leurs conversations avec leurs amis, etc. Mais je n'ai rien oublié de ce qui en valait la peine : le vert du lac où j'ai appris à nager, l'odeur du jardin, le goût de l'alcool de prune testé en cachette et autres découvertes intellectuelles.

Avant le chocolat blanc, je ne me souviens de rien : je dois me fier au témoignage de mes proches, réinterprété par mes soins. Après, mes informations sont de première main : la main même qui écrit.

Je devins le genre d'enfant dont rêvent les parents : à la fois sage et éveillée, silencieuse et présente, drôle et réfléchie, enthousiaste et métaphysique, obéissante et autonome.

Pourtant, ma grand-mère et ses sucreries ne restèrent au Japon qu'un mois : mais ce fut suffisant. La notion de plaisir m'avait rendue opérationnelle. Mon père et ma mère étaient soulagés : après avoir eu un légume pendant deux années puis une bête enragée pendant six mois, ils avaient enfin quelque chose de plus ou moins normal. On commença à m'appeler par un prénom.

Il fallut, pour recourir à l'expression consacrée, « rattraper le temps perdu » (je ne pensais pas l'avoir perdu) : à deux ans et demi, un humain se doit de marcher et de parler. Je commençai par marcher, conformément à l'usage. Ce n'était pas sorcier : se mettre debout, se laisser tomber vers l'avant, se retenir avec un pied, puis reproduire le pas de danse avec l'autre pied.

Marcher était d'une utilité indéniable[1]. Cela permettait d'avancer en voyant le paysage mieux qu'à quatre pattes. Et qui dit marcher dit courir : courir était cette trouvaille fabuleuse qui rendait possibles toutes les évasions. On pouvait s'emparer d'un objet interdit et s'enfuir en l'emportant sans être vue de personne. Courir assurait l'impunité des actions les plus répréhensibles. C'était le verbe des bandits de grand chemin et des héros en général.

Parler posait un problème d'étiquette[2] : quel mot choisir en premier ? J'aurais bien élu un vocable aussi nécessaire que « marron glacé » ou « pipi », ou alors aussi beau que « pneu » ou « scotch », mais je sentais que cela eût froissé des sensibilités. Les parents sont une espèce susceptible : il faut leur servir les grands classiques qui leur donnent le sentiment de leur importance. Je ne cherchais pas à me faire remarquer.

---

1. Évidente.
2. Règle, ordre.

50 Je pris donc un air béat et solennel et, pour la première fois, je voisai les sons que j'avais en tête :

— Maman !

Extase de la mère.

Et comme il ne fallait vexer personne, je me hâtai d'ajouter :

55 — Papa !

Attendrissement du père. Les parents se jetèrent sur moi et me couvrirent de baisers. Je pensai qu'ils n'étaient pas difficiles. Ils eussent été moins ravis et admiratifs si j'avais commencé à parler en disant : « Pour qui sont ces serpents qui sifflent sur

60 vos têtes[1] ? » ou : « $E = mc^2$ »[2]. À croire qu'ils avaient un doute sur leur propre identité : n'étaient-ils donc pas sûrs de s'appeler Papa et Maman ? Ils semblaient avoir eu tant besoin que je le leur confirme.

Je me félicitai de mon choix : pourquoi faire compliqué

65 quand on peut faire simple ? Aucun premier mot n'eût pu autant combler mes géniteurs. À présent que j'avais accompli mon devoir de politesse, je pouvais me consacrer à l'art et à la philosophie : la question du troisième mot était autrement excitante, puisque je n'avais à tenir compte que de critères qualita-

70 tifs. Cette liberté était si grisante qu'elle m'embarrassait : je mis un temps fou à prononcer mon troisième mot. Mes parents n'en furent que plus flattés : « Elle n'avait besoin que de nous nommer. C'était sa seule urgence. »

---

1. Citation de *Phèdre* de Racine.
2. Citation d'Albert Einstein.

Ils ne savaient pas que, dans ma tête, je parlais depuis long-
75 temps. Mais il est vrai que dire les choses à haute voix est différent : cela confère au mot prononcé une valeur exceptionnelle.
On sent que le mot est ému, qu'il le vit comme un signe de
reconnaissance, qu'on lui paie sa dette ou qu'on le célèbre. Voiser
le vocable « banane », c'est rendre hommage aux bananes à tra-
80 vers les siècles.

Raison de plus pour réfléchir. Je me lançai dans une phase
d'exploration intellectuelle qui dura des semaines. Les photos
de l'époque me montrent avec un visage si sérieux que c'en est
comique. C'est que mon discours intérieur était existentiel :
85 « Chaussure ? Non, ce n'est pas le plus important ; on peut
marcher sans.

Papier ? Oui, mais c'est aussi nécessaire que crayon. Il n'y a
pas moyen de choisir entre papier et crayon. Chocolat ? Non,
c'est mon secret. Otarie ? Otarie, c'est sublime, ça pousse des
90 cris admirables, mais est-ce vraiment mieux que toupie ?
Toupie, c'est trop beau. Seulement, l'otarie est vivante. Qu'est-
ce qui est mieux, une toupie qui tourne ou une otarie qui vit ?
Dans le doute, je m'abstiens. Harmonica ? Ça sonne bien, mais
est-ce vraiment indispensable ? Lunette ? Non, c'est rigolo, mais
95 ça ne sert à rien. Xylophone ?... »

Un jour, ma mère arriva dans le salon avec un animal à long
cou dont la queue mince et longue terminait dans une prise de
courant. Elle poussa un bouton et la bête amorça une plainte
régulière et ininterrompue. La tête se mit à bouger sur le sol en
100 un mouvement de va-et-vient qui entraînait le bras de Maman

derrière elle. Parfois, le corps avançait sur ses pattes qui étaient des roulettes.

Ce n'était pas la première fois que je voyais un aspirateur mais je n'avais pas encore réfléchi à sa condition. Je m'appro-
105 chai de lui à quatre pattes pour être à sa hauteur ; je savais qu'il fallait toujours être à la hauteur de ce qu'on examinait. Je suivis sa tête et posai ma joue sur le tapis pour observer ce qui se passait. Il y avait un miracle : l'appareil avalait les réalités matérielles qu'il rencontrait et il les transformait en inexistence.
110   Il remplaçait le quelque chose par le rien : cette substitution ne pouvait être qu'œuvre divine.

J'avais le souvenir vague d'avoir été Dieu, il n'y avait pas si longtemps. J'entendais parfois dans ma tête une grande voix qui me plongeait en d'incalculables ténèbres et qui me disait :
115 « Rappelle-toi ! C'est moi qui vis en toi ! Rappelle-toi ! » Je ne savais pas trop ce que j'en pensais, mais ma divinité me paraissait des plus probables et des plus agréables.

Soudain, je rencontrais un frère : l'aspirateur. Que pouvait-il y avoir de plus divin que cet anéantissement pur et simple ?
120 J'avais beau trouver qu'un Dieu n'a rien à prouver, j'aurais voulu être capable d'accomplir un tel prodige, une tâche aussi métaphysique.

« *Anchio sono pittore !*[1] » s'exclama le Corrège[2] en découvrant les tableaux de Raphaël[3]. En un enthousiasme semblable, j'étais
125 sur le point de m'écrier : « Moi aussi, je suis un aspirateur ! »

---

1. « Moi aussi je suis un peintre ! »
2. Peintre italien de la Renaissance (vers 1489-1534).
3. Peintre et architecte italien, contemporain du Corrège (1483-1520).

À la dernière seconde, je me souvins qu'il fallait ménager[1] mes effets : j'étais censée posséder deux mots à mon actif, je n'allais pas me décrédibiliser en sortant des phrases. Mais mon troisième mot, je l'avais.

130 Sans plus attendre, j'ouvris la bouche et je scandai les quatre syllabes : « Aspirateur ! »

Un instant interdite, ma mère lâcha le cou du tuyau et courut téléphoner à mon père :

– Elle a dit son troisième mot !

135 – C'est quoi ?

– Aspirateur !

– Bien. Nous en ferons une ménagère accomplie.

Il devait être un peu déçu.

J'avais fait très fort pour le troisième mot ; je pouvais dès lors 140 me permettre d'être moins existentielle[2] pour le quatrième. Estimant que ma sœur, de deux ans et demi mon aînée, était une bonne personne, j'élus son prénom :

– Juliette ! clamai-je en la regardant dans les yeux.

Le langage a des pouvoirs immenses : à peine avais-je pro-145 noncé à haute voix ce nom que nous nous prîmes l'une pour l'autre d'une folle passion. Ma sœur me saisit entre ses bras et me serra. Tel le philtre d'amour de Tristan et Iseut[3], le mot nous avait unies pour toujours.

Il était hors de question que je choisisse pour cinquième 150 vocable le prénom de mon frère, de quatre ans mon aîné : ce

---

1. Mesurer.
2. Qui a trait à l'être.
3. Les deux amants de ce roman du XIIe siècle ont bu un philtre magique qui les lie pour l'éternité.

mauvais sujet avait passé un après-midi assis sur ma tête à lire un *Tintin*. Il adorait me persécuter. Pour le punir, je ne le nommerais pas. Ainsi, il n'existerait pas tellement.

Vivait avec nous Nishio-san, ma gouvernante japonaise. Elle
155 était la bonté même et me dorlotait pendant des heures. Elle ne parlait aucune autre langue que la sienne. Je comprenais tout ce qu'elle disait. Mon cinquième mot fut donc nippon, puisque je la nommai.

J'avais déjà donné leur nom à quatre personnes ; à chaque
160 fois, cela les rendait si heureuses que je ne doutais plus de l'importance de la parole : elle prouvait aux individus qu'ils étaient là. J'en conclus qu'ils n'en étaient pas sûrs. Ils avaient besoin de moi pour le savoir.

Parler servait-il donc à donner la vie ? Ce n'était pas certain.
165 Autour de moi, les gens parlaient du matin au soir, sans que cela ait des conséquences aussi miraculeuses. Pour mes parents, par exemple, parler équivalait à formuler ceci :

– J'ai invité les Truc pour le 26.

– Qui sont les Truc ?

170 – Voyons, Danièle, tu ne connais qu'eux. Nous avons déjà dîné vingt fois en compagnie des Truc.

– Je ne me rappelle pas. Qui sont les Truc ?

– Tu verras bien.

Je n'avais pas l'impression que les Truc existaient davantage
175 après ce genre de propos. Au contraire.

Pour mon frère et ma sœur, parler revenait à cela :

– Où est ma boîte de Lego ?

– J'en sais rien.

– Menteuse ! C'est toi qui l'as prise !

180 – C'est pas vrai.

– Tu vas me dire où elle est ?

Et puis ils se tapaient dessus. Parler était un prélude au combat.

Quand la douce Nishio-san me parlait, c'était le plus sou-
185 vent pour me raconter, avec le rire nippon[1] réservé à l'horreur, comment sa sœur avait été écrasée par le train Kobé-Nishinomiya lorsqu'elle était enfant. À chaque occurrence[2] de ce récit, sans faillir, les mots de ma gouvernante tuaient la petite fille. Parler pouvait donc servir aussi à assassiner.

190 L'examen de l'édifiant langage d'autrui m'amena à cette conclusion : parler était un acte aussi créateur que destructeur. Il valait mieux faire très attention avec cette invention.

Par ailleurs, j'avais remarqué qu'il existait également un emploi inoffensif de la parole.

195 « Beau temps, n'est-ce pas ? » ou « Ma chère, je vous trouve très en forme ! » étaient des phrases qui ne produisaient aucun effet métaphysique. On pouvait les dire sans aucune crainte. On pouvait même ne pas les dire. Si on les disait, c'était sans doute pour avertir les gens qu'on n'allait pas les tuer. C'était
200 comme le pistolet à eau de mon frère ; quand il me tirait dessus en m'annonçant : « Pan ! tu es morte ! », je ne mourais pas,

---

1. Japonais.
2. À chaque fois que ce récit était fait.

j'étais seulement arrosée. On recourait à ce genre de propos pour montrer que son arme était chargée à blanc.

À titre de C.Q.F.D.[1], le sixième mot fut « mort ».

Il régnait dans la maison un silence anormal. Je voulus aller aux renseignements et descendis le grand escalier. Au salon, mon père pleurait : spectacle impensable et que je n'ai jamais revu. Ma mère le tenait dans ses bras comme un bébé géant.

Elle me dit très doucement :

– Ton papa a perdu sa maman. Ta grand-mère est morte.

Je pris un air terrible.

– Évidemment, poursuivit-elle, tu ne sais pas ce que ça veut dire, la mort. Tu n'as que deux ans et demi.

– Mort ! affirmai-je sur le ton d'une assertion[1] sans réplique, avant de tourner les talons.

Mort ! Comme si je ne savais pas ! Comme si mes deux ans et demi m'en éloignaient, alors qu'ils m'en rapprochaient ! Mort ! Qui mieux que moi savait ? Le sens de ce mot, je venais à peine de le quitter ! Je le connaissais encore mieux que les autres enfants, moi qui l'avais prolongé au-delà des limites humaines. N'avais-je pas vécu deux années de coma, pour autant que l'on puisse vivre le coma ? Qu'avaient-ils donc pensé que je faisais, dans mon berceau, pendant si longtemps, sinon mourir ma vie, mourir le temps, mourir la peur, mourir le néant, mourir la torpeur ?

La mort, j'avais examiné la question de près : la mort, c'était le plafond. Quand on connaît le plafond mieux que soi-même, cela s'appelle la mort. Le plafond est ce qui empêche les yeux de monter et la pensée de s'élever. Qui dit plafond dit caveau :

---

1. Affirmation.

le plafond est le couvercle du cerveau. Quand vient la mort, un couvercle géant se pose sur votre casserole crânienne. Il m'était arrivé une chose peu commune : j'avais vécu ça dans l'autre sens, à un âge où ma mémoire pouvait sinon s'en souvenir, au 30 moins en conserver une vague impression.

Quand le métro sort de terre, quand les rideaux noirs s'ouvrent, quand l'asphyxie est finie, quand les seuls yeux nécessaires nous regardent à nouveau, c'est le couvercle de la mort qui se soulève, c'est notre caveau crânien qui devient un cer- 35 veau à ciel ouvert.

Ceux qui, d'une manière ou d'une autre, ont connu la mort de trop près et en sont revenus contiennent leur propre Eurydice[1] : ils savent qu'il y a en eux quelque chose qui se rappelle trop bien la mort et qu'il vaut mieux ne pas la regarder 40 en face. C'est que la mort, comme un terrier, comme une chambre aux rideaux fermés, comme la solitude, est à la fois horrible et tentante : on sent qu'on pourrait y être bien. Il suffirait qu'on se laisse aller pour rejoindre cette hibernation intérieure. Eurydice est si séduisante qu'on a tendance à oublier 45 pourquoi il faut lui résister.

Il le faut, pour cette unique raison que le trajet est le plus souvent un aller simple. Sinon, il ne le faudrait pas.

---

1. Personnage des *Métamorphoses* du poète latin Ovide. Mordue au talon par un serpent le jour de ses noces avec Orphée, elle descend aux Enfers. Son amant vient la chercher, mais échoue dans cet « aller-retour ».

Je m'assis sur l'escalier en pensant à la grand-mère au chocolat blanc. Elle avait contribué à me libérer de la mort, et si
50 peu de temps après, c'était son tour. C'était comme s'il y avait
eu un marchandage. Elle avait payé ma vie de la sienne. L'avait-
elle su ?

Au moins mon souvenir lui conserve-t-il l'existence. Ma
grand-mère avait essuyé les plâtres de ma mémoire. Juste retour
55 des choses : elle y est encore bien vivante, précédée de son bâton
de chocolat comme d'un sceptre. C'est ma façon de lui rendre
ce qu'elle m'a donné.

Je ne pleurai pas. Je remontai dans la chambre pour jouer au
plus beau jeu du monde : la toupie. J'avais une toupie en plas-
60 tique qui valait toutes les merveilles de l'univers. Je la faisais
tourner et la regardais fixement pendant des heures. Cette rota-
tion perpétuelle me donnait l'air grave.

La mort, je savais ce que c'était. Cela ne me suffisait pas à la
comprendre. J'avais des tas de questions à poser. Le problème
65 était qu'officiellement je disposais de six mots, dont zéro verbe,
zéro conjonction, zéro adverbe : difficile de composer des interrogations avec ça. Certes, en réalité, dans ma tête, j'avais le
vocabulaire nécessaire – mais comment passer, en un coup, de
six à mille mots, sans révéler mon imposture[1] ?
70 Heureusement, il y avait une solution : Nishio-san. Elle ne

---

1. Tromperie.

parlait que japonais, ce qui limitait ses conversations avec ma mère. Je pouvais lui parler en cachette, camouflée derrière sa langue.

— Nishio-san, pourquoi on meurt ?

75   — Tu parles, toi ?

— Oui, mais ne le dis à personne. C'est un secret.

— Tes parents seraient heureux s'ils savaient que tu parlais.

— C'est pour leur faire la surprise. Pourquoi on meurt ?

— Parce que Dieu le veut.

80   — Tu crois vraiment ?

— Je ne sais pas. J'ai vu tant de gens mourir : ma sœur écrasée par le train, mes parents tués par des bombardements pendant la guerre. Je ne sais pas si Dieu a voulu ça.

— Alors pourquoi on meurt ?

85   — Tu parles de ta grand-mère ? C'est normal de mourir quand on est vieux.

— Pourquoi ?

— Quand on a beaucoup vécu, on est fatigué. Mourir, pour un vieux, c'est comme aller se coucher. C'est bien.

90   — Et mourir quand on n'est pas vieux ?

— Ça, je ne sais pas pourquoi c'est possible. Tu comprends tout ce que je te raconte ?

— Oui.

— Alors tu parles japonais avant de parler français ?

95   — Non. C'est la même chose.

Pour moi, il n'y avait pas des langues, mais une seule et grande langue dont on pouvait choisir les variantes japonaises ou françaises, au gré de sa fantaisie. Je n'avais encore jamais entendu une langue que je ne comprenais pas.

100   – Si c'est la même chose, comment expliques-tu que je ne parle pas le français ?

    – Je ne sais pas. Raconte-moi les bombardements.

    – Tu es sûre que tu veux entendre ça ?

    – Oui.

105   Elle se lança dans un récit de cauchemar. En 1945, elle avait sept ans. Un matin, les bombes avaient commencé à pleuvoir. À Kobé[1], ce n'était pas la première fois qu'on les entendait, loin s'en fallait. Mais ce matin-là, Nishio-san avait senti que ce serait pour les siens et elle n'avait pas eu tort. Elle était restée allon-

110 gée sur le *tatami*, espérant que la mort la trouverait endormie. Soudain, il y avait eu, juste à côté d'elle, une explosion si extra-ordinaire que la petite s'était crue d'abord déchiquetée en mille morceaux. Juste après, étonnée d'avoir survécu, elle avait voulu s'assurer que ses membres étaient toujours reliés à son corps,

115 mais quelque chose l'en empêchait : elle avait mis un certain temps à comprendre qu'elle était enterrée.

    Alors elle avait commencé à creuser avec ses mains, en espé-rant qu'elle se dirigeait vers le haut, ce dont elle n'était pas sûre. À un moment, dans la terre, elle avait touché un bras : elle ne

120 savait pas à qui il était, elle ne savait même pas si ce bras était toujours accroché à un corps – sa seule certitude était que ce bras était mort, à défaut de son propriétaire.

---

1. Ville importante de l'île de Honshu.

Elle s'était trompée de cap. Elle s'était arrêtée de creuser pour écouter : « Je dois aller vers le bruit : c'est là qu'il y a la vie. » Elle avait entendu des cris et avait tâché de creuser dans cette direction. Elle avait recommencé son travail de taupe.

– Comment tu respirais ? demandai-je.

– Je ne sais pas. Il y avait moyen. Après tout, il y a des animaux qui vivent là-dessous, et qui respirent. L'air venait difficilement, mais il venait. Tu veux la suite ?

Je la réclamai avec enthousiasme.

Finalement, Nishio-san était arrivée à la surface. « C'est là qu'il y a la vie », lui avait dit son instinct. Il l'avait trompée : c'était là qu'il y avait la mort. Parmi les maisons détruites, il y avait des morceaux d'êtres humains. La petite avait eu le temps de reconnaître la tête de son père avant qu'une énième bombe explose et l'enfouisse très profond sous les décombres.

À l'abri de son linceul[1] de terre, elle s'était d'abord demandé si elle n'allait pas rester là : « C'est encore ici que je suis le plus en sécurité et qu'il y a le moins d'horreurs à voir. » Peu à peu, elle s'était mise à suffoquer. Elle avait creusé vers le bruit, effarée à l'idée de ce qu'elle allait découvrir cette fois. Elle avait eu tort de s'inquiéter : elle ne put rien voir, car à peine avait-elle émergé qu'elle se retrouvait quatre mètres plus bas.

– Je ne sais pas combien d'heures cela a duré. Je creusais, je creusais, et chaque fois que je me retrouvais à la surface, j'étais à nouveau enterrée par une explosion. Je ne savais plus pour-

---

1. Drap dans lequel on enveloppe le mort.

quoi je remontais et je remontais quand même, parce que c'était
plus fort que moi. Je savais déjà que mon père était mort et que
150 je n'avais plus de maison : j'ignorais encore le sort de ma mère
et de mes frères. Quand la pluie de bombes a cessé, j'étais stu-
péfaite d'être encore en vie. En déblayant, on est tombé, peu à
peu, sur les cadavres, entiers ou en pièces, de ceux qui man-
quaient, dont ma mère et mes frères. J'étais jalouse de ma sœur
155 qui, écrasée par le train deux ans plus tôt, avait échappé à ce
spectacle.

Nishio-san avait vraiment de belles histoires à raconter : les
corps y finissaient toujours en morceaux.

Comme j'accaparais ma gouvernante de plus en plus, mes
160 parents décidèrent d'engager une deuxième Japonaise pour les
aider. Ils passèrent une annonce au village de Shukugawa.

Ils n'eurent pas l'embarras du choix : une seule dame se pré-
senta.

Kashima-san devint donc la deuxième gouvernante. Elle était
165 le contraire de la première. Nishio-san était jeune, douce et gen-
tille ; elle n'était pas jolie et venait d'un milieu pauvre et populaire. Kashima-san avait une cinquantaine d'années et était
d'une beauté aussi aristocratique que ses origines : son magnifique visage nous regardait avec mépris. Elle appartenait à cette
170 vieille noblesse nippone que les Américains avaient abolie[1] en
1945. Elle avait été une princesse pendant près de trente ans

---

1. Supprimée.

et, du jour au lendemain, elle s'était retrouvée sans titre et sans argent.

Depuis, elle vivait de besognes ancillaires[1], comme celle que nous lui avions proposée. Elle rendait tous les Blancs responsables de sa destitution et nous haïssait en bloc. Ses traits d'une finesse parfaite et sa maigreur hautaine inspiraient le respect. Mes parents lui parlaient avec les égards dus à une très grande dame ; elle ne leur parlait pas et travaillait le moins possible. Quand ma mère lui demandait de l'aider pour telle ou telle tâche, Kashima-san soupirait et lui jetait un regard qui signifiait : « Pour qui vous prenez-vous ? »

La deuxième gouvernante traitait la première comme un chien, non seulement à cause de ses origines modestes, mais aussi parce qu'elle la considérait comme une traîtresse qui pactisait avec l'ennemi. Elle laissait faire tout le travail par Nishiosan, qui avait un malencontreux instinct d'obéissance envers sa suzeraine[2]. Elle l'invectivait[3] à la moindre occasion :

— Tu as vu comme tu leur parles ?

— Je leur parle comme ils me parlent.

— Tu n'as aucun sens de l'honneur. Ça ne te suffit donc pas, qu'ils nous aient humiliés en 1945 ?

— Ce n'étaient pas eux.

— C'est la même chose. Ces gens étaient les alliés des Américains.

---

1. Travaux de servante.
2. Reine.
3. Agressait par la parole.

– Pendant la guerre, ils étaient des petits enfants, comme moi.

– Et alors ? Leurs parents étaient nos ennemis. Les chats ne font pas des chiens. Je les méprise, moi.

200 – Tu ne devrais pas dire ça devant la gosse, dit Nishio-san en me montrant du menton.

– Ce bébé ?

– Elle comprend ce que tu dis.

– Tant mieux.

205 – Moi, je l'aime, cette petite.

Elle disait vrai : elle m'aimait autant que ses deux filles, des jumelles âgées de dix ans qu'elle n'appelait jamais par leurs pré-noms puisqu'elle ne les dissociait pas l'une de l'autre. Elle les nommait toujours *futago* et j'ai longtemps cru que ce mot duel[1] 210 était le prénom d'un seul enfant, les marques du pluriel étant souvent vagues en langue nippone. Un jour, les fillettes vinrent à la maison et Nishio-san les héla de loin : « *Futago !* » Elles accoururent comme des siamoises[2], me révélant par le fait même le sens de ce mot. La gémellité doit être au Japon un 215 problème plus grave qu'ailleurs.

Je m'aperçus très vite que mon âge me valait un statut spé-cial. Au pays du Soleil-Levant, de la naissance à l'école mater-nelle non comprise, on est un dieu. Nishio-san me traitait comme une divinité. Mon frère, ma sœur et les *futago* avaient

---

1. Nombre qui détermine les noms qui désignent une réalité double.
2. Sœurs attachées l'une à l'autre par une partie de leur corps.

220 quitté l'âge sacré : on leur parlait d'une façon ordinaire. Moi, j'étais un *okosama* : une honorable excellence enfantine, un seigneur enfant.

Quand j'arrivais à la cuisine le matin, Nishio-san se prosternait[1] pour être à ma hauteur. Elle ne me refusait rien. Si je 225 manifestais le désir de manger dans son assiette, ce qui était fréquent, vu que je préférais sa nourriture à la mienne, elle ne touchait plus à sa pitance[2] : elle attendait que j'aie fini avant de recommencer à s'alimenter, si j'avais eu la grandeur d'âme de lui laisser quelque chose.

230 Un midi, ma mère s'aperçut de ce manège et me gronda sévèrement. Elle enjoignit ensuite à Nishio-san de ne plus accepter ma tyrannie. Peine perdue : dès que Maman eut le dos tourné, mes prélèvements reprirent. Et pour cause : l'*okonomiyaki* (crêpe au chou, aux crevettes et au gingembre) et le 235 riz au *tsukemono* (raifort mariné dans une saumure jaune safran) étaient autrement alléchants que les carrés de viande aux carottes bouillies.

Il y avait deux repas : celui de la salle à manger et celui de la cuisine. Je chipotais au premier pour garder de la place pour le 240 second.

Très vite, je choisis mon camp : entre des parents qui me traitaient comme les autres et une gouvernante qui me divinisait, il n'y avait pas à hésiter.

Je serais japonaise.

---

1. Se courbait devant un objet sacré.
2. Nourriture.

J'étais japonaise.

À deux ans et demi, dans la province du Kansai, être japonaise consistait à vivre au cœur de la beauté et de l'adoration.
Être japonaise consistait à s'empiffrer[1] des fleurs exagérément
odorantes du jardin mouillé de pluie, à s'asseoir au bord de
l'étang de pierre, à regarder, au loin, les montagnes grandes
comme l'intérieur de sa poitrine, à prolonger en son cœur le
chant mystique[2] du vendeur de patates douces qui traversait le
quartier à la tombée du soir.

À deux ans et demi, être japonaise signifiait être l'élue de
Nishio-san. À tout instant, si je le lui demandais, elle aban-
donnait son activité pour me prendre dans ses bras, me dorlo-
ter, me chanter des chansons où il était question de chatons ou
de cerisiers en fleur.

Elle était toujours prête à me raconter *ses* histoires de corps
coupés en morceaux qui m'émerveillaient, ou alors la légende
de telle ou telle sorcière qui cuisait les gens dans un chaudron
pour en faire de la soupe : ces contes adorables me ravissaient
jusqu'à l'hébétude[3].

Elle s'asseyait et me berçait comme une poupée. Je prenais
un air de souffrance sans autre motif que mon désir d'être
consolée : Nishio-san me consolait longuement de mes chagrins
inexistants, jouant le jeu, me plaignant avec un art consommé[4].

Puis elle suivait d'un doigt délicat le dessin de mes traits et

1. Se gaver de.
2. Inspiré.
3. Abrutissement.
4. Parfait.

en vantait la beauté qu'elle disait extrême : elle s'exaltait[1] de ma bouche, de mon front, de mes joues, de mes yeux, et concluait qu'elle n'avait jamais vu une déesse au visage aussi admirable. C'était une bonne personne.

Et je restais dans ses bras inlassablement, et j'y serais restée toujours, pâmée[2] de son idolâtrie[3]. Et elle se pâmait de m'idolâtrer ainsi, prouvant de la sorte la justesse et l'excellence de ma divinité.

À deux ans et demi, il eût fallu être idiote pour ne pas être japonaise.

Ce n'était pas un hasard si j'avais révélé plus tôt ma connaissance de la langue nippone que de la langue maternelle : le culte de ma personne avait ses exigences linguistiques[4]. J'avais besoin d'un idiome[5] pour communiquer avec mes fidèles. Ces derniers n'étaient pas très nombreux mais ils me suffisaient par l'intensité de leur foi et par l'importance de leur place dans mon univers : c'était Nishio-san, les *futago* et les passants.

Quand je me promenais dans la rue en donnant la main à la principale prêtresse de mon adoration, j'attendais avec sérénité les acclamations des badauds : je savais qu'ils ne manqueraient jamais de se récrier sur mes charmes.

Cependant, cette religion ne me plaisait jamais autant qu'en-

---

1. S'émerveillait.
2. Au bord de l'évanouissement.
3. Adoration sacrée.
4. Qui ont trait à la langue.
5. Langue.

tre les quatre murs du jardin : ce dernier était mon temple. Une portion de terrain plantée de fleurs et d'arbres et entourée d'une enceinte : on n'a rien inventé de mieux pour réconcilier avec
50 l'univers.

Le jardin de la maison était nippon, ce qui en faisait un jardin pléonastique[1]. Il n'était pas zen[2] mais son étang de pierre, sa sobriété et le choix de sa toison[3] disaient le pays qui, plus religieusement que les autres, a défini le jardin.

55 L'aire géographique de la croyance en moi atteignait son plus haut degré de densité dans le jardin. Les murs élevés et chapeautés de tuiles japonaises qui le cloîtraient me dérobaient aux regards des laïcs et prouvaient que nous étions en un sanctuaire.

Quand Dieu a besoin d'un lieu pour symboliser le bonheur
60 terrestre, il n'opte ni pour l'île déserte, ni pour la plage de sable fin, ni pour le champ de blé mûr, ni pour l'alpage verdoyant ; il élit le jardin.

Je partageais son opinion : il n'y a pas meilleur territoire pour régner. Fieffée[4] du jardin, j'avais pour sujets des plantes qui, sur
65 mon ordre, s'épanouissaient à vue d'œil. C'était le premier printemps de mon existence et je n'imaginais pas que cette adolescence végétale connaîtrait un apogée[5] suivi d'un déclin.

Un soir, j'avais dit, à une tige surmontée d'un bouton :

1. Définition même du jardin.
2. Conçu selon les règles du bouddhisme, qui associe beauté et méditation.
3. Feuillage.
4. Maîtresse.
5. Épanouissement total.

« Fleuris. » Le lendemain, c'était devenu une pivoine blanche
₇₀ en pleine déflagration[1]. Pas de doute, j'avais des pouvoirs. J'en
parlai à Nishio-san qui ne démentit pas.

Depuis la naissance de ma mémoire, en février, le monde
n'avait cessé d'éclore. La nature s'associait à mon avènement[2].
Chaque jour, le jardin était plus luxuriant[3] que la veille. Une
₇₅ fleur ne se fanait que pour renaître plus belle un peu plus loin.

Comme les gens devaient m'être reconnaissants ! Comme
leur vie devait être triste avant moi ! Car c'était moi qui leur
avais apporté ces merveilles innombrables. Quoi de plus com-
préhensible que leur adoration ?

₈₀ Pourtant, il demeurait un problème logique dans cette apo-
logétique[4] : Kashima-san.

Elle ne croyait pas en moi. C'était l'unique Japonaise qui
n'acceptait pas la religion nouvelle. Elle me détestait. Seuls les
grammairiens sont assez naïfs pour penser que l'exception
₈₅ confirme la règle : je ne l'étais pas et le cas de Kashima-san me
perturbait.

Ainsi, quand j'allais prendre mon deuxième repas à la cuisine, elle ne me laissait pas manger dans son assiette. Stupéfiée
par son impertinence, j'avais remis ma main dans sa nourri-
₉₀ ture : cela m'avait valu une gifle.

---

1. Explosion florale.
2. Naissance.
3. Débordant.
4. Apologie, louanges continuelles.

Estomaquée, j'étais allée pleurer chez Nishio-san, espérant qu'elle châtierait l'impie[1] ; il n'en fut rien.

– Tu trouves ça normal ? lui dis-je avec indignation.

– C'est Kashima-san. Elle est comme ça.

95 Je me demandai si cette réponse était acceptable. Avait-on le droit de me frapper pour cette seule raison qu'on était « comme ça » ? C'était un peu fort. Il en coûterait à l'irréductible de se dérober à mon culte.

J'ordonnai que son jardin ne fleurisse pas. Cela n'eut pas l'air
100 de l'émouvoir. J'en conclus qu'elle était indifférente aux charmes de la botanique. En vérité, elle n'avait pas de jardin.

J'optai alors pour une attitude plus charitable et décidai de la séduire. J'allai au-devant d'elle avec un sourire magnanime[2] et lui tendis la main, tel Dieu à Adam sur le plafond de la cha-
105 pelle Sixtine[3] : elle se détourna.

Kashima-san me refusait. Elle me niait. De même qu'il y a l'Antéchrist[4], elle était l'Anté-moi.

Je me pris pour elle d'une pitié profonde. Comme ce devait être sinistre de ne pas m'adorer ! Cela se voyait : Nishio-san et
110 mes autres fidèles rayonnaient de bonheur, car il était bon pour eux de m'aimer.

Kashima-san ne se laissait pas aller à ce doux besoin : cela se lisait sur les beaux traits de son visage, sur son expression toute

---

1. Punirait l'infidèle.
2. Qui a une grande âme, un grand cœur.
3. Salle des palais pontificaux du Vatican dont le plafond a été peint par Michel-Ange entre 1508 et 1512.
4. Figure de l'esprit du mal, adversaire du Christ.

de dureté et de refus. Je tournais autour d'elle en l'observant,
115 cherchant le motif de son peu d'inclination pour moi. Jamais
je n'eusse imaginé que la cause pût être en moi, si forte était
ma conviction d'être, des pieds à la tête, l'indiscutable gemme[1]
de la planète. Si l'aristocratique gouvernante ne m'aimait pas,
c'était qu'elle avait un problème.

120 Je le trouvai : à force de scruter Kashima-san, je vis qu'elle
souffrait de la maladie de se retenir. Chaque fois qu'il y avait
une occasion de se réjouir, de se régaler, de s'extasier ou de
s'amuser, la bouche de la noble dame se serrait, ses lèvres deve-
naient rigides : elle se retenait.

125 C'était comme si les plaisirs étaient indignes d'elle. Comme
si la joie lui était une abdication[2].

Je me livrai à quelques expériences scientifiques. J'apportai à
Kashima-san le plus beau camélia du jardin en précisant que je
l'avais cueilli pour elle : bouche plissée, merci sec. Je demandai
130 à Nishio-san de lui préparer son plat préféré : elle prépara un
chawan mushi[3] sublime qui fut mangé du bout des lèvres et
commenté de silence. Apercevant un arc-en-ciel, je courus appeler Kashima-san pour qu'elle l'admire : elle haussa les épaules.

Je décidai alors, dans ma générosité, de lui donner à voir le
135 plus beau spectacle qui se pût concevoir. Je revêtis la tenue que
Nishio-san m'avait offerte : un petit kimono de soie rose, orné

---

1. Pierre précieuse.
2. Soumission.
3. Œuf cocotte, flan.

de nénuphars, avec son large *obi*[1] rouge, les *geta*[2] laquées et le parasol de papier pourpre décoré d'une migration de grues[3] blanches. Je me barbouillai la bouche du rouge à lèvres de ma
140 mère et allai me contempler dans le miroir : pas de doute, j'étais magnifique. Personne ne résisterait à une telle apparition.

J'allai d'abord me faire admirer par mes fidèles les plus loyaux, qui poussèrent les cris auxquels je m'attendais. Virevoltant comme le plus convoité des papillons, j'offris ensuite ma
145 superbe[4] au jardin, sous forme d'une danse frénétique et bondissante. J'en profitai pour agrémenter ma mise d'une pivoine géante dont je me coiffai, tel un chapeau cinabre[5].

Ainsi parée, je me montrai à Kashima-san. Elle n'eut aucune réaction.
150 Cela me confirma dans mon diagnostic : elle se retenait. Sinon, comment eût-elle pu ne pas s'exclamer à ma vue ? Et comme Dieu pour le pécheur, je conçus une commisération[6] absolue pour elle. Pauvre Kashima-san !

Si j'avais su que la prière existait, j'eusse prié pour elle. Mais
155 je ne voyais aucun moyen d'intégrer cette gouvernante aporétique[7] dans ma vision du monde et cela me contrariait.

Je découvrais les limites de mon pouvoir.

---

1. Ceinture qui ferme le kimono.
2. Sabots traditionnels.
3. Oiseau migrateur échassier.
4. Fierté.
5. Couleur rouge vermillon.
6. Pitié.
7. Sceptique, habitée par le doute.

Parmi les amis de mon père, il y avait un homme d'affaires vietnamien qui avait épousé une Française. Suite à des problèmes politiques[1] facilement imaginables dans le Vietnam de 1970, cet homme dut repartir de toute urgence vers son pays, emmenant sa femme mais n'osant s'encombrer de leur fils de six ans, qui fut donc confié à mes parents pour une durée indéterminée.

Hugo était un garçon impassible et réservé. Il me fit bonne impression jusqu'au moment où il passa à l'ennemi : mon frère. Les deux garçonnets devinrent inséparables. Je décidai de ne pas nommer Hugo, pour le châtier.

En français, je disais toujours très peu de mots afin de ménager mes effets[2]. Cela devenait intenable. Je ressentais le besoin de clamer des choses aussi cruciales que « Hugo et André sont des cacas verts ». Hélas, je n'étais pas censée être capable de prononcer des assertions[3] aussi sophistiquées[4]. Je rongeais mon frein[5] en pensant que les garçons ne perdaient rien pour attendre.

Parfois je me demandais pourquoi je ne montrais pas à mes parents l'étendue de ma parole : pourquoi me priver d'un tel pouvoir ? Fidèle sans le savoir à l'étymologie du mot « enfant[6] », je sentais confusément que j'aurais perdu, en parlant, certains égards qui sont dus aux mages et aux débiles mentaux.

---

1. Liés à l'intervention des troupes américaines entre 1964 et 1975, cette dernière étant la date de la prise de Saigon par les troupes du Nord et du retrait des GI.
2. User de mon influence avec mesure.
3. Phrases.
4. Élaborées, complexes.
5. Je me retenais.
6. « Enfant » vient du latin *infans*, « qui ne parle pas ».

Au sud du Japon, avril est d'une douceur voluptueuse. Les parents nous emmenèrent à la mer. Je connaissais déjà très bien l'océan, par la grâce de la baie d'Osaka qui, à l'époque, regorgeait d'immondices : autant nager dans les égouts. Nous allâmes donc de l'autre côté du pays, à Tottori, où je découvris la mer du Japon, dont la beauté me subjugua[1]. Les Nippons qualifient cette mer de mâle, par opposition à l'océan, qu'ils jugent femelle : cette distinction me laissa perplexe. Je ne l'ai pas comprise davantage aujourd'hui.

La plage de Tottori était grande comme le désert. Je traversai ce Sahara et parvins à la lisière de l'eau. Elle avait aussi peur que moi : à la manière des enfants timides, elle avançait et reculait sans cesse. Je l'imitai.

Tous les miens y plongèrent. Ma mère m'appela. Je n'osai pas les suivre, malgré la bouée qui me ceinturait. Je regardais la mer avec terreur et désir. Maman vint prendre ma main et m'entraîna. Soudain, j'échappai à la pesanteur terrestre : le fluide s'empara de moi et me jucha[2] à sa surface. Je poussai un hurlement de plaisir et d'extase. Majestueuse comme Saturne avec ma bouée pour anneau, je restai dans l'eau des heures durant. Il fallut m'en retirer de force.

– Mer !

Ce fut le septième mot.

Très vite, j'appris à me passer de la bouée. Il suffisait de gigo-

---

1. Bouleversa.
2. M'installa.

ter les jambes et les bras et on obtenait quelque chose qui ressemblait à la nage d'un chiot. Comme c'était fatigant, je m'arrangeais pour rester là où j'avais pied.

50   Un jour, il y eut un prodige : j'entrai dans la mer, je me mis à marcher droit devant moi en direction de la Corée et constatai que le fond ne descendait plus. Il s'était surélevé pour moi. Le Christ marchait sur les eaux ; moi, je faisais monter le sol marin. À chacun *ses* miracles. Exaltée, je résolus de marcher à
55 tête sèche jusqu'au continent.

Je fonçai vers l'inconnu, foulant le doux tapis de ce fond si complaisant. Je marchai, je marchai, m'éloignant du Japon à pas de titan[1], pensant qu'il était fabuleux d'avoir de tels pouvoirs.

60   Je marchai, je marchai – et soudain je tombai. Le banc de sable qui m'avait portée jusque-là s'était affaissé. Je perdis pied. L'eau m'avala. J'essayai de gigoter les bras et les jambes pour revenir à la surface, mais chaque fois que ma tête émergeait, une vague nouvelle me la replongeait sous les flots, tel un tor-
65 tionnaire[2] cherchant à me soutirer des aveux.

Je compris que j'étais en train de me noyer. Quand mes yeux sortaient de la mer, je voyais la plage qui me paraissait si loin, mes parents qui siestaient et des gens qui m'observaient sans bouger, fidèles au vieux principe nippon de ne jamais sauver la
70 vie de quiconque, car ce serait le contraindre à une gratitude[3] trop grande pour lui.

---

1. Géant.
2. Qui inflige une torture.
3. Reconnaissance.

Ce spectacle de mon public assistant à ma mort était encore plus effrayant que mon trépas.

Je criai :

75 – *Tasukete !*

En vain.

Je me dis alors qu'il n'était plus temps de faire des pudeurs[1] avec la langue française et je traduisis le cri précédent en hurlant :

80 – Au secours !

C'était peut-être cela, l'aveu que l'eau voulait obtenir de moi : que je parlais la langue de mes parents. Hélas, ces derniers ne m'entendirent pas. Les spectateurs nippons respectèrent leur règle de non-intervention jusqu'à ne pas prévenir les
85 auteurs de mes jours. Et je les regardai me regarder mourir avec attention.

Bientôt, je n'eus plus la force de bouger mes membres et je me laissai couler. Mon corps glissa en dessous des flots. Je savais que ces moments étaient les derniers de ma vie et je ne voulais
90 pas les manquer : je tentai d'ouvrir les yeux et ce que je vis m'émerveilla. La lumière du soleil n'avait jamais été aussi belle qu'à travers les profondeurs de la mer. Le mouvement des vagues propageait des ondes étincelantes.

J'en oubliai d'avoir peur de la mort. Il me sembla rester là
95 des heures.

Des bras m'arrachèrent et me remontèrent à l'air. Je respirai un grand coup et regardai qui m'avait sauvée : c'était ma mère

---

1. Retenue.

qui pleurait. Elle me ramena sur la plage en me serrant très fort contre son ventre.

100 Elle m'emballa dans une serviette et frotta mon dos et ma poitrine vigoureusement : je vomis beaucoup d'eau. Puis elle me berça en me racontant, à travers ses larmes :

– C'est Hugo qui t'a sauvé la vie. Il jouait avec André et Juliette quand, par hasard, il a vu ta tête au moment où elle 105 disparaissait sous la mer. Il est venu me prévenir en me montrant où tu étais. Sans lui, tu serais morte !

Je regardai le petit Eurasien[1] et dis solennellement :

– Merci, Hugo, tu es gentil.

Silence médusé[2].

110 – Elle parle ! Elle parle comme une impératrice ! jubila[3] mon père qui passa en un instant des frissons rétrospectifs au rire.

– Je parle depuis longtemps, fis-je en haussant les épaules.

L'eau avait réussi son plan : j'avais avoué.

Allongée sur le sable auprès de ma sœur, je me demandai si 115 j'étais heureuse de ne pas être morte. Je regardais Hugo comme une équation mathématique : sans lui, pas de moi. Pas de moi : est-ce que ça m'aurait plu ? « Je n'aurais pas été là pour savoir si ça me plaît », me dis-je avec logique. Oui, j'étais heureuse de ne pas être morte, pour savoir que ça me plaisait.

120 À côté de moi, la jolie Juliette. Au-dessus de moi, les nuages

---

1. Moitié européen, moitié asiatique.
2. Stupéfait.
3. Cria de joie.

magnifiques. Devant moi, l'admirable mer. Derrière moi, la plage infinie. Le monde était beau : vivre en valait la peine.

De retour à Shukugawa, je décidai d'apprendre à nager. Non loin de la maison, dans la montagne, il y avait un petit lac vert que je baptisai Petit Lac Vert. C'était le paradis liquide. Il était tiède et ravissant, perdu dans une foison d'azalées.

Chaque matin, Nishio-san prit l'habitude de m'emmener au Petit Lac Vert. Seule je découvris l'art de nager comme un poisson, toujours la tête sous l'eau, les yeux ouverts sur les mystères engloutis dont la noyade m'avait appris l'existence.

Quand ma tête émergeait, je voyais les montagnes boisées s'élever autour de moi. J'étais le centre géométrique d'un cercle de splendeur qui ne cessait de s'élargir.

Avoir frôlé la mort n'ébranlait[1] pas ma conviction informulée d'être une divinité. Pourquoi les dieux seraient-ils immortels ? En quoi l'immortalité rendrait-elle divin ? La pivoine est-elle moins sublime du fait qu'elle va se faner ?

Je demandai à Nishio-san qui était Jésus. Elle me dit qu'elle ne savait pas très bien.

– Je sais que c'est un dieu, hasarda-t-elle. Il avait de longs cheveux.

– Tu crois en lui ?

– Non.

1. Modifiait.

– Tu crois en moi ?

145 – Oui.

– Moi aussi, j'ai de longs cheveux.

– Oui. Et puis toi, je te connais.

Nishio-san était quelqu'un de bien : elle avait de bons arguments.

150 Mon frère, ma sœur et Hugo allaient à l'école américaine, près du mont Rokko[1]. André avait, parmi ses manuels scolaires, un livre qui s'appelait *My friend Jesus*. Je ne pouvais pas encore lire mais il y avait des images. Vers la fin, on voyait le héros sur une croix avec beaucoup de gens qui le regardaient. Ce dessin 155 me fascinait. Je demandai à Hugo pourquoi Jésus était accroché à une croix.

– C'est pour le tuer, répondit-il.

– Ça tue les hommes, d'être sur une croix ?

– Oui. C'est parce qu'il est cloué sur le bois. Les clous, ça 160 le tue.

Cette explication me parut recevable. L'image n'en était que plus formidable. Donc, Jésus était en train de mourir devant une foule – et personne ne venait le sauver ! Ça me rappelait quelque chose.

165 Moi aussi, je m'étais trouvée dans cette situation : être en train de crever en regardant les gens me regarder. Il eût suffi que quelqu'un vînt retirer les clous du crucifié pour le sauver : il eût suffi que quelqu'un vînt me sortir de l'eau, ou simple-

---

1. Île artificielle dans Kobé.

ment que quelqu'un prévînt mes parents. Dans mon cas
170 comme dans celui de Jésus, les spectateurs avaient préféré ne
pas intervenir.

Sans doute les habitants du pays du crucifié avaient-ils les
mêmes principes que les Japonais : sauver la vie d'un être revenait à le réduire en esclavage pour cause de reconnaissance exa-
175 gérée. Mieux valait le laisser mourir que le priver de sa liberté.

Je ne songeais pas à contester cette théorie ; je savais seulement
qu'il était terrible de se sentir mourir devant un public passif. Et
j'éprouvais une connivence[1] profonde avec Jésus, car j'étais sûre
de comprendre la révolte qui l'animait à ce moment-là.

180 Je voulais en savoir plus sur cette histoire. Comme la vérité
semblait enfermée dans le feuilletage rectangulaire des livres, je
décidai d'apprendre à lire. J'annonçai cette résolution ; on me
rit au nez.

Puisqu'on ne me prenait pas au sérieux, je m'y mettrais seule.
185 Je ne voyais pas où était le problème. J'avais appris par moi-
même à faire des choses autrement remarquables : parler, marcher, nager, régner et jouer à la toupie.

Il me parut rationnel[2] de commencer par un *Tintin*, parce
qu'il y avait des images. J'en choisis un au hasard, je m'assis par
190 terre et je tournai les pages. Il me serait impossible d'expliquer
ce qui se passa, mais au moment où la vache ressortit de l'usine
par un robinet qui construisait des saucisses, je m'aperçus que
je savais lire.

1. Relation étroite.
2. Raisonnable.

Je me gardai bien de révéler à autrui ce prodige puisqu'on
195 avait trouvé risible mon désir de lire. Avril était le mois des cerisiers du Japon en fleur. Le quartier fêtait cela le soir, au *saké*.
Nishio-san m'en donna un verre : j'en hurlai de plaisir.

Je passais de longues nuits debout, sur mon oreiller, accrochée aux barreaux de mon lit-cage, à regarder fixement mon
père et ma mère, comme si j'avais le projet d'écrire sur eux une
étude zoologique. Ils en ressentaient un malaise grandissant. Le
5 sérieux de ma contemplation les intimidait au point de leur
faire perdre le sommeil. Les parents comprirent que je ne pouvais plus dormir dans leur chambre.

On déménagea mes pénates[1] dans un genre de grenier. Cela
m'enchanta. Il y avait un plafond inconnu à examiner, dont les
10 fissures me parurent d'emblée plus expressives que celles dont
j'observais les méandres[2] depuis deux ans et demi. Il y avait
aussi un fatras d'objets à interroger des yeux : des caisses, des
vieux vêtements, une piscine gonflable dégonflée, des raquettes
pourries et autres merveilles.

15 Je passai de fascinantes insomnies à imaginer le contenu des
cartons : il devait être très beau pour qu'on le cache si bien. Je
n'aurais pas été capable de descendre du lit-cage pour aller
regarder : c'était trop haut.

Fin avril, une magnifique nouveauté bouleversa mon exis
20 tence : on ouvrit la fenêtre de ma chambre pendant la nuit. Je
n'avais pas le souvenir d'avoir dormi fenêtre ouverte. C'était
prodigieux : je pouvais guetter les bruissements énigmatiques
qui s'échappaient du monde ensommeillé, les interpréter, leur
donner un sens. Le lit-cage était installé le long du mur, en des-

---

1. Objets familiers.
2. Plis, circonvolutions.

25 sous de la fenêtre mansardée : quand le vent écartait les rideaux, je voyais le ciel zinzolin[1]. La découverte de cette couleur me coupa le souffle : il était réconfortant d'apprendre que la nuit n'était pas noire.

30 Mon bruit préféré était l'aboiement lancinant et lointain d'un chien inidentifiable que je baptisai Yorukoé, « la voix du soir ». Ses geignements indisposaient le quartier. Ils me charmaient comme un chant mélancolique. J'aurais voulu connaître la raison d'un tel désespoir.

35 La douceur de l'air nocturne coulait par la fenêtre et se déversait droit dans mon lit. Je la buvais, je m'en saoulais. J'aurais pu adorer l'univers rien que pour cette prodigalité de l'oxygène.

Mon ouïe et mon odorat fonctionnaient à plein régime pendant ces fastueuses[2] insomnies. La tentation de me servir de la vue n'en était que plus forte. Ce hublot, au-dessus de moi, était 40 une provocation.

Une nuit, je ne pus résister. J'escaladai les barreaux du lit-cage le long du mur, je levai les mains aussi haut que possible : elles purent attraper le bord inférieur de la fenêtre. Grisée par cet exploit, je parvins à hisser mon corps débile[3] jusqu'à cet 45 appui. Juchée sur mon ventre et mes coudes, je découvris enfin le paysage nocturne : j'exultai[4] d'admiration face aux grandes montagnes obscures, aux toits lourds et majestueux des mai-

---

1. D'un violet qui tire sur le rouge.
2. Magnifiques.
3. Chancelant.
4. Explosai.

sons voisines, à la phosphorescence des fleurs de cerisier, au
mystère des rues noires. Je voulus me pencher pour voir l'en-
50 droit où Nishio-san pendait le linge et ce qui devait arriver
arriva : je tombai.

Il y eut un miracle : j'eus le réflexe d'écarter les jambes et
mes pieds restèrent accrochés aux deux angles inférieurs de la
fenêtre. Mes mollets et mes cuisses étaient allongés sur le léger
55 rebord du toit, mes hanches reposaient sur la gouttière, mon
tronc et ma tête pendaient dans le vide.

Le premier effroi passé, je me trouvai plutôt bien à mon nouveau poste d'observation. Je contemplai l'arrière de la maison
avec beaucoup d'intérêt. Je jouais à me balancer de gauche à
60 droite et à me livrer à l'étude balistique[1] de mes crachats.

Au matin, quand ma mère entra dans la chambre, elle poussa
un cri de terreur : au-dessus du lit vide, il y avait la fenêtre aux
rideaux écartés et mes pieds de part et d'autre. Elle me souleva
par les mollets, me ramena *intra-muros*[2] et m'administra la fes-
65 sée du siècle.

– On ne peut plus la laisser dormir seule. C'est trop dange-
reux.

On décréta que le grenier deviendrait la chambre de mon
frère et que je partagerais désormais celle de ma sœur à la place
70 d'André. Ce déménagement bouleversa ma vie. Dormir avec

---

1. Qui a trait au projectile.
2. À l'intérieur des murs (latin).

Juliette exalta ma passion pour elle : je partageai sa chambre pendant les quinze années qui suivirent.

Désormais, mes insomnies servirent à contempler ma sœur. Les fées qui s'étaient penchées sur son berceau lui avaient donné
75 la grâce de dormir mais aussi la grâce tout court : nullement dérangée par mon regard fixe, elle sommeillait en un calme qui forçait l'admiration. J'appris par cœur le rythme de son souffle et la musicalité de ses soupirs. Personne ne connaît aussi bien le repos d'un autre.
80 Vingt années plus tard, je lus ce poème d'Aragon[1] en frissonnant :

Je suis rentré dans la maison comme un voleur Déjà tu partageais le lourd repos des fleurs [...] J'ai peur de ton silence et pourtant tu respires Contre moi je te tiens imaginaire empire
85 *Je suis auprès de toi le guetteur qui se trouble À chaque pas qu'il fait de l'écho qui le double*
au fond de la nuit
Je suis auprès de toi le guetteur sur les murs.
Qui souffre d'une feuille et se meurt d'un murmure
90 *au fond de la nuit*
Je vis pour cette plainte à l'heure où tu reposes
Je vis pour cette crainte en moi de toute chose
au fond de la nuit

---

1. Poète français (1897-1982), figure de la poésie lyrique et de la Résistance.

Va dire ô mon gazel[1] à ceux du jour futur
95 *Qu'ici le nom d'Elsa seul est ma signature au fond de la nuit.*

Il suffisait de remplacer Elsa par Juliette.

Elle dormait pour nous deux. Au matin je me levais, fraîche et dispose, reposée par le sommeil de ma sœur.

---

1. Orthographe du mot gazelle, dans son étymologie.

Mai commença bien. Autour du Petit Lac Vert, les azalées explosèrent de fleurs. Comme si une étincelle avait mis le feu aux poudres, toute la montagne en fut contaminée. Je nageais désormais au milieu du rose vif.

5   La température diurne[1] ne quittait pas les vingt degrés : l'Eden[2]. J'étais sur le point de penser que mai était un mois excellent quand le scandale éclata : les parents hissèrent dans le jardin un mât au sommet duquel flottait, tel un drapeau, un grand poisson de papier rouge qui claquait au vent.

10   Je demandai de quoi il s'agissait. On m'expliqua que c'était une carpe, en l'honneur de mai, mois des garçons. Je dis que je ne voyais pas le rapport. On me répondit que la carpe était le symbole des garçons et que l'on arborait ce genre d'effigie poissonneuse dans les demeures des familles qui comptaient un

15 enfant du sexe masculin.

     — Et quand tombe le mois des filles ? interrogeai-je.

     — Il n'y en a pas.

     J'en restai sans voix. Quelle était cette injustice sidérante ?

     Mon frère et Hugo me regardèrent d'un air narquois.

20   — Pourquoi une carpe pour un garçon ? demandai-je encore.

     — Pourquoi les bébés disent-ils toujours pourquoi ? me rétorqua-t-on.

     Je m'en allai vexée, persuadée de la pertinence[3] de ma question.

25   J'avais certes déjà remarqué qu'il y avait une différence

---

1. Pendant la journée.
2. Le paradis.
3. Intelligence.

sexuelle, mais cela ne m'avait jamais perturbée. Il y avait beaucoup de différences sur terre : les Japonais et les Belges (je
croyais que tous les Blancs étaient belges, sauf moi qui me tenais
pour japonaise), les petits et les grands, les gentils et les
30 méchants, etc. Il me semblait que femme ou homme était une
opposition parmi d'autres. Pour la première fois, je soupçonnai
qu'il y avait là un sacré lièvre[1].

Dans le jardin, je me postai sous le mât et me mis à observer la carpe. En quoi évoquait-elle davantage mon frère que
35 moi ? Et en quoi la masculinité était-elle si formidable qu'on
lui consacrait un drapeau et un mois – *a fortiori*[2] un mois de
douceur et d'azalées ? Alors qu'à la féminité, on ne dédiait pas
même un fanion[3], pas même un jour !

Je donnai un coup de pied dans le mât, qui ne manifesta
40 aucune réaction.

Je n'étais plus si sûre d'aimer le mois de mai. D'ailleurs, les
cerisiers du Japon avaient perdu leurs fleurs : il y avait eu
comme un automne de printemps. Une fraîcheur s'était fanée
que je n'avais pas vue ressusciter deux buissons plus loin.

45 Mai méritait bien d'être le mois des garçons : c'était un mois
de déclin.

Je demandai à voir de vraies carpes, comme un empereur eût
exigé de voir un véritable éléphant.

Rien de plus simple, au Japon, que de voir des carpes, *a for-*

1. Sacré problème.
2. De plus (latin).
3. Drapeau.

tiori en mai. C'est un spectacle difficile à éviter. Dans un jardin public, dès qu'il y a un point d'eau, il contient des carpes. Les *koï* ne servent pas à être mangées – le *sashimi*[1] en serait d'ailleurs un cauchemar – mais à être observées et admirées. Aller au parc les contempler est une activité aussi civilisée que d'aller au concert.

Nishio-san m'emmena à l'arboretum[2] du Futatabi[3]. Je marchais le nez en l'air, effarée par la splendeur immense des cryptomères[4], épouvantée par leur âge : j'avais deux ans et demi, eux deux cent cinquante ans – ils étaient, à la lettre, cent fois plus vieux que moi.

Le Futatabi était un sanctuaire végétal. Même en vivant au cœur de la beauté, ce qui était mon cas, on ne pouvait qu'être subjuguée par la superbe de cette nature arrangée. Les arbres semblaient conscients de leur prestige.

Nous arrivâmes à la pièce d'eau. Je distinguai un grouillement de couleurs. De l'autre côté de l'étang, un bonze[5] vint jeter des granules : je vis les carpes sauter pour les attraper. Certaines étaient énormes. C'était un jaillissement irisé qui allait du bleu acier à l'orange en passant par le blanc, le noir, l'argent et l'or.

En plissant les yeux, on pouvait ne voir que leurs coloris étincelants à la lumière et s'en émerveiller. Mais en ouvrant son

---

1. Fine tranche de poisson cru.
2. Lieu d'exposition d'arbres.
3. Mont de la région de Kobé, sur lequel se situe un parc naturel.
4. Arbres d'Extrême-Orient.
5. Prêtre de la religion bouddhique.

regard, on ne pouvait faire abstraction de leur épaisse silhouette de poissons-divas, de prêtresses surnourries de la pisciculture[1].

Au fond, elles ressemblaient à des Castafiore[2] muettes, obèses et vêtues de fourreaux chatoyants. Les vêtements multicolores soulignent le ridicule des boudins, comme les tatouages bariolés font ressortir la graisse des gros lards. Il n'y avait pas plus disgracieux que ces carpes. Je n'étais pas mécontente qu'elles fussent le symbole des garçons.

– Elles vivent plus de cent ans, me dit Nishio-san sur le ton du plus grand respect.

Je n'étais pas si sûre qu'il y ait de quoi se vanter. La longévité n'était pas une fin en soi. Vivre très longtemps, de la part du cryptomère, c'était donner sa juste ampleur à une noblesse magnifique, c'était lui laisser le temps d'asseoir son règne, de susciter l'admiration et la crainte révérencieuse dues à un tel monument de force et de patience.

Être centenaire, pour une carpe, c'était se vautrer dans une durée adipeuse[3], c'était laisser moisir sa chair vaseuse de poisson d'eau stagnante. Il y a encore plus dégoûtant que la jeune graisse : c'est la vieille graisse.

Je gardai mon opinion pour moi. Nous rentrâmes à la maison. Nishio-san assura aux miens que j'avais beaucoup aimé les carpes. Je ne démentis pas, fatiguée à l'idée de leur exposer mes vues.

---

1. Élevage des poissons.
2. Cantatrice dans les albums *Tintin*.
3. Pleine de graisse.

André, Hugo, Juliette et moi prenions le bain ensemble. Les deux garnements malingres ressemblaient à tout sauf à des carpes. Ça ne les empêchait pas d'être moches. C'était peut-être ça, le point commun à l'origine de cette symbolique : avoir
100 quelque chose de vilain. Les filles n'eussent pas pu être représentées par un animal répugnant.

Je demandai à ma mère de m'emmener à l'« apouarium » (j'étais bizarrement incapable de prononcer aquarium) de Kobé, l'un des plus réputés au monde. Mes parents s'étonnè-
105 rent de cette passion ichtyologique[1].

Je voulais seulement voir si tous les poissons étaient aussi laids que les carpes. J'observai longtemps la faune des vastes bassins verrés : je découvris des animaux plus charmants et gracieux les uns que les autres. Certains étaient fantasmagoriques[2]
110 comme de l'art abstrait. Un créateur se fût régalé de tant d'élégance importable et cependant portée.

Ma conclusion fut sans appel : de tous les poissons, le plus nul – le seul à être nul – était la carpe. Je ricanai à part moi. Ma mère me vit jubiler : « Cette petite fera de la biologie sous-
115 marine », décréta-t-elle avec sagacité[3].

Les Japonais avaient eu raison de choisir cette bête pour emblème du sexe moche.

J'aimais mon père, je tolérais Hugo – il m'avait quand même

---

1. Pour les poissons.
2. Étonnants, fantastiques.
3. Clairvoyance.

sauvé la vie – mais je tenais mon frère pour la pire des nui-
120 sances. L'unique ambition de son existence semblait de me persécuter : il y prenait un tel plaisir que c'était pour lui une fin
en soi. Quand il m'avait fait enrager pendant des heures, il avait
réussi sa journée. Il paraît que tous les grands frères sont ainsi :
peut-être faudrait-il les exterminer.

Avec juin arriva la chaleur. Je vivais désormais dans le jardin, ne le quittant, à regret, que pour dormir. Dès le premier jour du mois, on avait retiré le mât et le drapeau poissonneux : les garçons n'étaient plus à l'honneur. C'était comme si l'on avait déboulonné la statue de quelqu'un que je n'aimais pas. Plus de carpe dans le ciel. Juin me fut d'emblée sympathique.

La température autorisait à présent les spectacles en plein air. On m'annonça que nous étions tous conviés à aller écouter chanter mon père.

— Papa chante ?

— Il chante le *nô*[1].

— C'est quoi ?

— Tu verras.

Je n'avais jamais entendu mon père chanter : il s'isolait pour ses exercices, ou alors il les faisait à son école, auprès de son maître de *nô*.

Vingt ans plus tard, j'appris par quel singulier hasard l'auteur de mes jours, que rien ne prédisposait à une carrière lyrique, était devenu chanteur de *nô*. Il avait débarqué à Osaka en 1967, en tant que consul de Belgique. C'était son premier poste asiatique et ce jeune diplomate de trente ans avait eu pour ce pays un coup de foudre réciproque. Le Japon devint et demeura l'amour de sa vie.

Avec l'enthousiasme du néophyte[2], il voulait découvrir toutes

---

1. Drame lyrique à caractère religieux.
2. Adepte récemment initié.

25 les merveilles de l'Empire. Comme il ne parlait pas encore la
langue, une brillante interprète nippone l'escortait partout. Elle
lui tenait lieu aussi de guide et d'initiatrice aux diverses formes
d'arts nationaux. Voyant combien il était ouvert d'esprit, elle eut
l'idée de lui montrer l'un des joyaux les moins accessibles de la
30 culture traditionnelle : le *nô*. À l'époque, les Occidentaux y
étaient aussi fermés qu'ils étaient favorables au *kabuki*[1].

Elle l'emmena donc au sein d'une vénérable école de *nô* du
Kansai[2], dont le maître était un Trésor vivant. Mon père eut
l'impression de se retrouver mille ans en arrière. Ce sentiment
35 s'aggrava quand il entendit le *nô :* au premier abord, il crut que
c'étaient des borborygmes[3] issus du fond des âges. Il éprouva
le genre de malaise hilare[4] qu'inspirent les reconstitutions de
scènes préhistoriques dans les musées.

Peu à peu, il comprit que c'était le contraire, qu'il avait affaire
40 à la sophistication même et qu'il n'y avait pas plus stylisé et civi-
lisé. De là à trouver cela beau, il y avait un pas qu'il ne pouvait
encore franchir.

Malgré ces décibels étranges qui l'effaraient, il conserva l'expression avenante et charmée d'un vrai diplomate. Au terme de
45 la mélopée[5], qui bien entendu s'étendit durant des heures, il
n'afficha pas l'ombre de l'ennui qu'il avait ressenti.

---

1. Art théâtral classique.
2. Région située au cœur de l'île Honshu.
3. Gargouillis.
4. Proche du fou rire.
5. Chant.

Entre-temps, sa présence avait provoqué la perplexité de l'école entière. Le vieux maître de *nô* finit par venir au-devant de lui pour lui dire :

50   – Honorable hôte, c'est la première fois qu'un étranger pénètre ces lieux. Puis-je solliciter votre opinion sur les chants que vous avez entendus ?

L'interprète fit son office.

Confondu d'ignorance, mon père hasarda de gentils clichés 55 sur l'importance de la culture ancestrale, la richesse du patrimoine artistique de ce pays et autres sottises plus touchantes les unes que les autres.

Consternée, l'interprète décida de ne pas traduire une réponse aussi bête. Cette Japonaise lettrée substitua donc son 60 propre avis à celui de l'auteur de mes jours et l'exprima en des mots choisis.

Au fur et à mesure qu'elle « traduisait », le vieux maître écarquillait les yeux de plus en plus. Quoi ! Ce Blanc ingénu, qui venait à peine de débarquer et qui écoutait du *nô* pour la première fois, avait déjà compris l'essence[1] et la subtilité de cet art suprême !

En un geste invraisemblable de la part d'un Nippon, *a fortiori* d'un Trésor vivant, il prit la main de l'étranger avec solennité et lui dit :

70   – Honorable hôte, vous êtes un mage ! Un être exceptionnel ! Vous devez devenir mon élève !

---

1. Nature profonde.

Et comme mon père est un excellent diplomate, il répondit aussitôt, par le truchement[1] de la dame :

– C'était mon souhait le plus cher.

75 Il ne mesura pas d'emblée les conséquences de sa politesse, supposant qu'elle resterait lettre morte[2]. Mais le vieux maître, sans attendre, lui ordonna de venir prendre sa première leçon à l'école, le surlendemain, à sept heures du matin.

Un homme sain d'esprit eût tout fait annuler le lendemain 80 même par un coup de téléphone de sa secrétaire. L'auteur de mes jours, lui, se leva à l'aube du surlendemain et vint à l'heure fixée. Le vénérable professeur n'en parut pas le moins du monde étonné et lui prodigua son âpre[3] enseignement sans l'ombre d'une indulgence, considérant qu'une aussi grande âme méri-85 tait l'honneur d'être traitée à la dure.

À la fin de la leçon, mon pauvre père était vanné.

– Très bien, commenta le vieux maître. Revenez demain matin à la même heure.

– C'est que… je commence à travailler à huit heures trente 90 au consulat.

– Aucun problème. Venez donc à cinq heures du matin.

Effondré, l'élève obéit. Il vint à l'école chaque matin à cette heure inhumaine pour un homme qui avait déjà un métier astreignant, sauf les week-ends où il pouvait se permettre de

---

1. Intermédiaire.
2. Sans suite.
3. Difficile d'accès.

95 commencer son cours à sept heures du matin, ce qui consti-
tuait un luxe de paresse.

Le disciple belge se sentait écrasé par ce monument de civi-
lisation nippone auquel on tentait de l'incorporer. Lui qui,
avant son arrivée au Japon, aimait le football et le cyclisme, se
100 demandait par quelle saumâtre[1] bévue[2] du hasard il se retrouvait à sacrifier son existence sur l'autel d'un art aussi abscons[3].
Cela lui convenait aussi peu que le jansénisme[4] à un bon vivant
ou l'ascèse[5] à un goinfre.

Il se trompait. Le vieux maître avait eu parfaitement raison.
105 Il ne tarda pas à débusquer, au fond de la large poitrine de
l'étranger, un organe de premier ordre.

– Vous êtes un chanteur remarquable, dit-il à mon père qui
entre-temps avait appris le japonais. Je vais donc compléter
votre formation et vous apprendre à danser.

110 – À danser… ? Mais, honorable maître, regardez-moi ! bal-
butia le Belge en montrant son épaisse silhouette pataude.

– Je ne vois pas où est le problème. Nous commencerons la
leçon de danse demain matin, à cinq heures.

Le lendemain, au terme du cours, ce fut au tour du profes-
115 seur d'être consterné. En trois heures, malgré sa patience, il ne
parvint pas à arracher à l'auteur de mes jours le moindre mouvement qui ne fût navrant de gaucherie[6] et de balourdise.

---

1. Au goût amer.
2. Erreur.
3. Obscur.
4. Mouvement religieux et politique du XVIIe siècle.
5. Ici, stricte discipline alimentaire.
6. Maladresse.

Poli et attristé, le Trésor vivant conclut par ces mots :

– Nous allons faire une exception pour vous. Vous serez un
120 chanteur de *nô* qui ne dansera pas.

Plus tard, mort de rire, le vieux maître ne manquerait pas de
raconter à ses choristes à quoi ressemblait un Belge qui appre-
nait la danse de l'éventail.

Le piètre[1] danseur devint cependant un artiste sinon épous-
125 touflant, du moins appréciable. Comme il était le seul étranger au monde à posséder ce talent, il devint célèbre au Japon
sous le nom qui lui est resté : « le chanteur de *nô* aux yeux
bleus ».

Tous les jours, durant les cinq années de son consulat[2] à
130 Osaka, il alla prendre, à l'aube, ses trois heures de leçon chez
le vénérable professeur. Il se noua entre eux deux le lien magnifique d'amitié et d'admiration qui unit, au pays du Soleil-
Levant, le disciple[3] au *sensei*[4].

À deux ans et demi, je ne savais rien de cette histoire. Je
135 n'avais aucune idée de la façon dont mon père occupait ses journées. Le soir, il rentrait à la maison. J'ignorais d'où il venait.

– Qu'est-ce qu'il fait, Papa ? demandai-je un jour à ma mère.

– Il est consul[5].

Encore un mot inconnu dont je finirais bien par trouver la
140 signification.

---

1. Mauvais.
2. Fonction de diplomate.
3. Élève.
4. Maître.
5. Diplomate.

Vint l'après-midi du spectacle annoncé. Ma mère emmena au temple Hugo et ses trois enfants. La scène rituelle du *nô* avait été installée en plein air dans le jardin du sanctuaire.

Comme les autres spectateurs, nous reçûmes chacun un
145 coussin dur pour nous y agenouiller. L'endroit était très beau et je me demandais bien ce qui allait se passer.

L'opéra commença. Je vis mon père entrer sur scène avec l'extrême lenteur requise. Il portait un costume superbe. Je ressentis une grande fierté d'avoir un géniteur[1] aussi bien vêtu.
150 Puis il se mit à chanter. Je réprimai une expression de terreur. Quels étaient donc ces sons bizarres et effrayants qui sortaient de son ventre ? Quelle était cette langue incompréhensible ? Pourquoi la voix paternelle s'était-elle transformée en cette plainte méconnaissable ? Que lui était-il arrivé ? J'avais envie de
155 pleurer, comme devant un accident.

– Qu'est-ce qu'il a, Papa ? chuchotai-je à ma mère qui m'ordonna de me taire.

Était-ce chanter ? Quand Nishio-san me chantait des comptines, ça me plaisait. Là, les bruits qui sortaient de la bouche de
160 mon père, je ne savais si ça me plaisait ; je savais seulement que ça m'épouvantait, que je paniquais, que j'aurais voulu être ailleurs.

Plus tard, bien plus tard, j'ai appris à aimer le *nô*, à l'adorer, comme l'auteur de mes jours qui eut besoin d'apprendre à le chanter pour l'aimer à la folie. Mais un spectateur inculte et
165 sincère qui entend du *nô* pour la première fois ne peut éprou-

---

1. Père.

ver qu'un profond malaise, comme l'étranger qui mange pour la première fois l'âpre prune marinée au sel du petit déjeuner traditionnel japonais.

Je vécus un après-midi redoutable. À la peur initiale succéda l'ennui. L'opéra dura quatre heures, pendant lesquelles il n'arriva strictement rien. Je me demandai pourquoi nous étions là. Je ne semblais pas la seule à me poser cette question. Hugo et André montraient qu'ils s'emmerdaient. Quant à Juliette, elle s'était carrément endormie sur son coussin. J'enviais cette bienheureuse. Même ma mère avait du mal à réprimer quelques bâillements.

Mon père, agenouillé pour ne pas danser, psalmodiait[1] son interminable mélopée. Je me demandais ce qu'il se passait dans sa tête. Autour de moi, le public japonais l'écoutait avec impassibilité[2], signe qu'il chantait bien.

Au coucher du soleil, le spectacle s'acheva enfin. L'artiste belge se leva et quitta la scène beaucoup plus vite que la tradition ne l'autorisait, et ce pour une raison technique : pour un corps nippon, rester à genoux pendant des heures ne pose aucun problème, alors que les jambes paternelles s'étaient profondément endormies. Il n'avait pas d'autre choix que de courir vers les coulisses pour s'y effondrer à l'abri des regards. De toute façon, au *nô*, le chanteur ne revient pas sur scène récolter les applaudissements, lesquels sont d'ailleurs toujours aussi peu nourris. Ovationner[3] un artiste qui viendrait saluer eût paru du dernier vulgaire.

---

1. Chantait de façon rituelle..
2. Absence de réaction.
3. Applaudir.

Le soir, mon père me demanda ce que j'avais pensé de la représentation. Je répondis par une question :

– C'est ça, être consul ? C'est chanter ?

Il rit.

195 – Non, ce n'est pas ça.

– C'est quoi, alors, consul ?

– C'est difficile à expliquer. Je te dirai quand tu seras plus grande.

« Ça cache quelque chose », pensai-je. Il devait avoir des acti-200 vités compromettantes.

Quand j'avais un *Tintin* ouvert sur les genoux, personne ne savait que je lisais. On croyait que je me contentais de regarder les images. En secret, je lisais la Bible. L'Ancien Testament était incompréhensible mais, dans le Nouveau, il y avait des choses qui me parlaient.

J'adorais le passage où Jésus pardonne à Marie-Madeleine, même si je ne comprenais pas la nature de ses péchés, mais ce détail m'indifférait ; j'aimais qu'elle se jette à ses genoux et qu'elle lui frotte les pieds avec ses longs cheveux. J'aurais voulu qu'on me fasse cela.

La chaleur monta en flèche. Juillet commença avec la saison humide. Il se mit à pleuvoir presque tous les jours. La pluie, tiède et belle, me séduisit d'emblée.

J'adorais rester des journées entières sur la terrasse, à regarder le ciel s'acharner sur la terre. Je jouais à l'arbitre de ce match cosmogonique[1], comptant les points. Les nuages étaient beaucoup plus impressionnants que le sol et pourtant ce dernier finissait toujours par l'emporter car il était le grand champion de la force d'inertie. Quand il voyait arriver les superbes nuées chargées d'eau, il ruminait son leitmotiv[2] :

– Vas-y, rosse-moi[3], envoie-moi ton stock de munitions, mets-y la gomme, aplatis-moi, je ne dirai rien, je ne gémirai pas, il n'y a personne qui encaisse comme moi, et quand tu

---

1. Qui a trait à l'univers.
2. Propos répété, refrain.
3. Donne-moi des coups.

n'existeras même plus pour m'avoir trop craché dessus, moi, je
serai encore là.

Parfois, je quittais mon abri pour venir me coucher sur la
victime et partager son sort. Je choisissais le moment le plus
fascinant, celui de l'averse – le pugilat[1] ultime, la phase du combat où le tueur frappe à la gueule au rythme de la grêle, sans
s'arrêter, en un fracas retentissant de carcasse qui éclate.

J'essayais de garder les yeux ouverts pour regarder l'ennemi
en face. Sa beauté était effarante. J'étais triste de savoir qu'il
perdrait tôt ou tard. Dans ce duel, j'avais choisi mon camp :
j'étais vendue à l'adversaire. Même si j'habitais la Terre, j'étais
pour les nuages : ils étaient tellement plus séduisants. Je n'hé-
siterais pas à trahir pour eux.

Nishio-san venait me chercher pour me forcer à me mettre
à l'abri sous le toit de la terrasse.

– Tu es folle, tu vas tomber malade.

Pendant qu'elle enlevait mes vêtements trempés et me fric-
tionnait dans un linge, je regardais le rideau d'eau qui conti-
nuait son œuvre pléonastique : terrasser la Terre. J'avais
l'impression d'habiter un gigantesque *carwash*[2].

Il pouvait arriver que la pluie l'emporte. Cette victoire pro-
visoire s'appelait inondation.

Le niveau d'eau monta dans le quartier. Ce genre de phéno-

---

1. Lutte.
2. Laverie pour voitures.

mène se produisait chaque été, dans le Kansai, et n'était pas
considéré comme une catastrophe : c'était un rituel prévu et en
vue duquel on s'organisait, en laissant par exemple, les *ô-miso*
50 (les honorables caniveaux) grands ouverts dans les rues.

En voiture, il fallait rouler lentement afin d'éviter les trop
fortes projections. J'avais l'impression d'être en bateau. La saison des pluies me ravissait à plus d'un titre.

Le Petit Lac Vert avait presque doublé d'étendue, engloutis-
55 sant les azalées des environs. J'avais deux fois plus de place pour
nager et je trouvais délicieusement étrange d'avoir parfois un
buisson fleuri sous le pied.

Un jour, profitant d'une accalmie passagère, mon père voulut se promener dans le quartier.

60 – Tu viens avec moi ? demanda-t-il en me tendant la main.

Ça ne se refusait pas.

Nous partîmes donc tous les deux marcher dans les ruelles
inondées. J'adorais me promener avec mon père qui, perdu
dans ses pensées, me laissait faire les bêtises que je voulais.
65 Jamais ma mère ne m'eût autorisée à sauter à pieds joints dans
les torrents du bord de la rue, mouillant ma robe et le pantalon paternel. Lui, il ne s'en apercevait même pas.

C'était un vrai quartier japonais, calme et beau, bordé de
murs coiffés de tuiles nippones, avec les ginkgos[1] qui dépassaient
70 des jardins. Au loin, la ruelle se transformait en un chemin qui
serpentait dans la montagne vers le Petit Lac Vert. C'était mon

---

1. Arbres d'extrême-Orient.

univers : il m'y fut donné, pour la seule fois de mon existence, de m'y sentir profondément chez moi. J'avais le bras en l'air pour tenir la main paternelle. Tout était à sa place, à commencer par 75 moi, quand je m'aperçus que ma main était vide.

Je regardai à côté de moi : il n'y avait plus personne. La seconde d'avant, j'en étais sûre, il y avait là mon père. Il avait suffi que je détourne la tête un instant et il s'était dématérialisé. Je n'avais même pas remarqué le moment où il avait lâché 80 ma main.

Une angoisse sans nom s'empara de moi : comment un homme pouvait-il se volatiliser ainsi ? Les êtres étaient-ils des choses si précaires[1] que l'on puisse les perdre sans motif et sans explication ? En un clin d'œil, un tel monument humain pou- 85 vait-il disparaître ?

Soudain, j'entendis la voix paternelle qui m'appelait – d'outre-tombe, à n'en pas douter, car j'avais beau regarder autour de moi, il n'était pas là. Sa voix semblait traverser un monde avant de me parvenir.

90 — Papa, où es-tu ?

— Je suis là, répondit-il calmement.

— Où, là ?

— Ne bouge pas. Ne va surtout pas là où j'étais.

— Où étais-tu ?

95 — À un mètre de toi, sur ta droite.

— Que t'est-il arrivé ?

---

1. Fragiles.

– Je suis en dessous de toi. Il y avait un caniveau ouvert, je suis tombé dedans.

Je regardai à côté de moi. Au milieu de la rue transformée
100 en rivière, on ne distinguait aucune trappe. Mais à bien observer, on y voyait comme un tourbillon qui devait signaler l'ouverture des égouts.

– Tu es dans le *mise*, Papa ? demandai-je avec hilarité.

– Oui, ma chérie, dit-il sereinement afin de ne pas m'affoler.

105 Il avait tort : il eût mieux fait de me paniquer. Je n'étais pas effrayée pour deux sous. Je trouvais cet épisode du plus haut comique et ne voyais pas où était le danger. Je fixais le trou d'eau qui l'avait englouti, m'émerveillant qu'il puisse me parler à travers ce rempart liquide : j'aurais voulu le rejoindre pour
110 voir comment était son logis aquatique.

– Tu es bien, là où tu es, Papa ?

– Ça va. Rentre à la maison, et dis à Maman que je suis dans les égouts, d'accord ? me demanda-t-il avec tant de sang-froid que je ne compris pas l'urgence de ma mission.

115 – J'y vais.

Je tournai les talons et me mis à folâtrer.

En chemin, je m'arrêtai, frappée par une évidence : et si c'était ça, le métier de mon père ? Mais oui, bien sûr ! Consul, ça voulait dire égoutier. Il n'avait pas voulu me l'expliquer parce
120 qu'il n'était pas fier de sa profession. Ce cachottier !

Je rigolai : j'avais enfin éclairci le mystère des activités paternelles. Il partait tôt chaque matin et revenait le soir sans que je sache où il allait. Désormais, j'étais au courant : il passait ses journées dans les canalisations.

125   À la réflexion, j'étais contente que mon père fasse un travail en rapport avec l'eau – car, pour être de l'eau sale, ce n'en était pas moins de l'eau, mon élément ami, celui qui me ressemblait le plus, celui dans lequel je me sentais le mieux, même si j'avais failli m'y noyer. N'était-il pas logique, d'ailleurs, que j'aie ris-

130 qué de mourir dans celui des éléments qui parlait le mieux ma langue ? Je ne savais pas encore que les amis étaient les meilleurs traîtres en puissance mais je savais que les choses les plus séduisantes étaient forcément les plus dangereuses, comme se pencher trop par la fenêtre ou se coucher au milieu de la rue.

135   Ces intéressantes pensées effacèrent jusqu'au souvenir de la mission que m'avait donnée l'égoutier. Je me mis à jouer au bord de la ruelle, à sauter à pieds joints dans de véritables fleuves en chantant des chansons de mon invention ; j'aperçus sur un mur un chat qui n'osait pas traverser de peur de se mouiller : je le pris

140 dans mes bras et le posai sur le mur d'en face, non sans lui tenir un discours sur les plaisirs de la natation et les bienfaits qu'il en retirerait. Le matou s'enfuit sans me remercier.

   Mon père avait choisi une drôle de manière de me révéler son métier. Plutôt que de me l'expliquer, il m'avait emmenée

145 sur son lieu de travail au fond duquel il s'était jeté en cachette, afin de mieux ménager ses effets. Sacré Papa ! Ce devait être là, aussi, qu'il répétait ses leçons de *nô*, c'était pour cela que je ne l'avais jamais entendu chanter.

Assise sur le trottoir, je fabriquai un bateau en feuilles de
50 ginkgo et le lâchai dans le courant. Je le poursuivis en trotti-
nant. Bizarres, ces Nippons qui avaient besoin d'un Belge pour
leurs égouts ! Sans doute était-ce en Belgique qu'on trouvait les
égoutiers les plus éminents. Enfin, tout ceci n'avait pas beaucoup d'importance. Le mois prochain, ce serait mon anniver-
55 saire de trois ans : si seulement je pouvais recevoir cet éléphant
en peluche ! J'avais multiplié les allusions pour que les parents
comprennent mon souhait, mais ces gens-là étaient parfois
bouchés.

S'il n'y avait pas eu l'inondation, j'aurais joué à mon jeu pré-
60 féré, que j'appelais le défi : cela consistait à se coucher au milieu
de la rue, à chanter une chanson dans sa tête et à rester là jusqu'à
la fin de la rengaine[1], sans bouger, quoi qu'il arrive. Je m'étais
toujours demandé si je serais restée, en cas de passage d'une voiture : aurais-je eu le cran de ne pas quitter mon poste ? Mon
65 cœur battait très fort à cette idée. Hélas, les rares fois que j'avais
échappé à la surveillance adulte pour jouer au défi, il n'était
venu aucun véhicule. Je n'avais donc pas eu la réponse à ma
question scientifique.

Après ces multiples aventures mentales, physiques, souter-
70 raines et navales, j'arrivai à la maison. Je m'installai sur la terrasse et me mis à faire tourner ma toupie avec acharnement. Je
ne sais pas combien de temps s'écoula de cette manière.

Ma mère finit par me voir.

---

1. Chanson.

– Ah, vous êtes rentrés, dit-elle.

175   – Je suis rentrée seule.

– Où est donc resté ton père ?

– Il est à son travail.

– Il est allé au consulat ?

– Il est dans les égouts. Même qu'il m'avait demandé de te

180   le dire.

– Quoi ?

Ma mère sauta dans la voiture en m'ordonnant de la guider jusqu'à l'égout en question.

– Enfin, vous voilà ! gémit l'égoutier.

185   Comme elle ne parvenait pas à le hisser à la surface, elle appela à la rescousse quelques voisins, dont l'un eut la bonne idée de prendre une corde. Il la jeta dans le *miso*. Mon père fut tracté par quelques fiers-à-bras. Un attroupement s'était consti-tué pour voir émerger le Belge anadyomène[1]. Cela valait le

190   détour : comme il y a des bonshommes de neige, on eût cru un bonhomme de boue. L'odeur n'était pas mal non plus.

Vu l'étonnement général, je compris que l'auteur de mes jours n'était pas égoutier et que j'avais assisté à un accident. J'en éprouvai une certaine déception, non seulement parce que

195   j'avais trouvé plaisante l'idée d'avoir de la famille dans les eaux usées, mais aussi parce que je retournais à la case départ dans mon élucidation[2] du sens du mot « consul ».

---

1. Qui sort de la mer (en parlant de la déesse Vénus).
2. Compréhension.

La consigne fut de ne plus se promener à pied à travers les rues avant la fin du déluge.

L'idéal, quand il pleut sans cesse, c'est encore d'aller nager. Le remède contre l'eau, c'est beaucoup d'eau.

Je passais désormais ma vie au Petit Lac Vert. Nishio-san m'y accompagnait chaque jour, cramponnée à son parapluie : elle n'avait pas renoncé à défendre le parti du sec. Moi, d'entrée de jeu, j'avais choisi le parti opposé : je quittais la maison en maillot de bain pour être mouillée avant de nager. Ne jamais avoir le temps de sécher, telle était ma devise.

Je plongeais dans le lac et n'en sortais plus. Le moment le plus beau était l'averse : je remontais alors à la surface pour faire la planche et recevoir la sublime douche perpendiculaire. Le monde me tombait sur le corps entier. J'ouvrais la bouche pour avaler sa cascade, je ne refusais pas une goutte de ce qu'il avait à m'offrir. L'univers était largesse et j'avais assez de soif pour le boire jusqu'à la dernière gorgée.

L'eau en dessous de moi, l'eau au-dessus de moi, l'eau en moi – l'eau, c'était moi. Ce n'était pas pour rien que mon prénom, en japonais, comportait la pluie. À son image, je me sentais précieuse et dangereuse, inoffensive et mortelle, silencieuse et tumultueuse, haïssable et joyeuse, douce et corrosive, anodine et rare, pure et saisissante, insidieuse[1] et patiente, musicale et

---

1. Sournoise.

cacophonique[1] – mais au-delà de tout, avant d'être quoi que ce fût d'autre, je me sentais invulnérable.

On pouvait se protéger de moi en restant sous un toit ou un parapluie sans que cela me perturbe. À court ou à long terme, rien ne pouvait m'être imperméable. On pouvait toujours me recracher ou se blinder contre moi, je finirais néanmoins par m'infiltrer. Même dans le désert, on ne pouvait être absolument sûr de ne pas me rencontrer – et on pouvait être absolument sûr d'y penser à moi. On pouvait me maudire en me regardant continuer à tomber au quarantième jour du déluge sans que cela m'affecte davantage.

Du haut de mon expérience antédiluvienne, je savais que pleuvoir était un sommet de jouissance. Certaines personnes avaient remarqué qu'il était bon de m'accepter, de se laisser inonder par moi sans chercher à me résister. Mais le mieux, c'était carrément d'être moi, d'être la pluie : il n'y avait pas plus grande volupté que de se déverser, crachin ou averse, de fouetter les visages et les paysages, de nourrir les sources ou déborder les fleuves, de gâcher les mariages et fêter les enterrements, de s'abattre à profusion, don ou malédiction du ciel.

Mon enfance pluvieuse s'épanouissait au Japon comme un poisson dans l'eau.

Lassée par mes interminables noces avec mon élément, Nishio-san finissait par m'appeler :

– Sors du lac ! Tu vas fondre !

---

1. Discordante, blessante pour l'oreille.

Trop tard. J'avais déjà fondu depuis longtemps.

Août. « *Mushiatsui*[1] », se plaignait Nishio-san. En effet, la chaleur était celle d'une étuve[2]. Liquéfactions et sublimations se succédaient à un rythme insoutenable. Mon corps amphibie se réjouissait. Il était bien le seul.

Mon père trouvait infernal de chanter par cette chaleur. Lors des représentations en pleine nature, il espérait la pluie afin qu'elle interrompît le spectacle. Je l'espérais aussi, non seulement parce que ces heures de *nô* m'accablaient d'ennui, mais surtout pour la joie de l'averse. Le grondement du tonnerre, dans la montagne, était le plus beau bruit du monde.

---

1. Humide et chaud.
2. Salle chaude et humide.

Je jouais à mentir à ma sœur. Tout était bon pourvu que ce fût inventé.

– J'ai un âne, lui déclarai-je.

Pourquoi un âne ? La seconde d'avant, je ne savais pas ce que j'allais dire.

– Un vrai âne, poursuivis-je au hasard, avec un grand courage face à l'inconnu.

– Qu'est-ce que tu racontes ? finit par dire Juliette.

– Oui, j'ai un âne. Il vit dans une prairie. Je le vois quand je vais au Petit Lac Vert.

– Il n'y a pas de prairie.

– C'est une prairie secrète.

– Il est comment, ton âne ?

– Gris, avec de longues oreilles. Il s'appelle Kaniku, inventai-je.

– Comment sais-tu qu'il s'appelle comme ça ?

– C'est moi qui lui ai donné ce nom.

– Tu n'as pas le droit. Il n'est pas à toi.

– Si, il est à moi.

– Comment sais-tu qu'il est à toi et pas à quelqu'un d'autre ?

– Il me l'a dit.

Ma sœur s'esclaffa.

– Menteuse ! Les ânes, ça ne parle pas.

Zut. J'avais oublié ce détail. Je m'obstinai néanmoins :

– C'est un âne magique qui parle.

– Je ne te crois pas.

– Tant pis pour toi, conclus-je avec hauteur.

Je me répétai intérieurement : « La prochaine fois, je dois me
30 rappeler que les animaux, ça ne parle pas. »

Je me lançai à nouveau :

– J'ai un cancrelat[1].

Pour des raisons qui m'échappèrent, ce mensonge-là ne pro-
duisit aucun effet.

35 J'essayai une vérité, pour voir :

– Je sais lire.

– C'est ça.

– C'est vrai.

– Mais oui, mais oui.

40 Bon. La vérité, ça ne marchait pas non plus.

Sans me désespérer, je poursuivis ma quête de crédibilité :

– J'ai trois ans.

– Pourquoi tu mens tout le temps ?

– Je ne mens pas. J'ai trois ans.

45 – Dans dix jours !

– Oui. J'ai presque trois ans.

– Presque, c'est pas trois ans. Tu vois, tu mens tout le temps.

Il fallait que je me fasse à cette idée : je n'étais pas crédible.
Ce n'était pas grave. Au fond, cela m'était égal, qu'on me croie
50 ou non. Je continuerais à inventer, pour mon plaisir.

Je me mis donc à me raconter des histoires. Moi au moins,
je croyais à ce que je me disais.

---

1. Cafard.

Personne dans la cuisine : une occasion à ne pas manquer. Je sautai sur la table et commençai l'ascension de la face nord du rangement à provisions. Un pied sur la boîte de thé, l'autre sur le paquet de petits-beurre, la main s'agrippant au crochet de la louche, je finirais bien par trouver le trésor de guerre, l'endroit où ma mère cachait le chocolat et les caramels.

Un coffret de fer-blanc : mon cœur se mit à battre la chamade. Le pied gauche dans le sac à riz et le pied droit sur les algues séchées, je fis exploser la serrure à la dynamite de ma convoitise[1]. J'ouvris et découvris, yeux écarquillés, les doublons[2] de cacao, les perles de sucre, les rivières de chewing-gum, les diadèmes de réglisse et les bracelets de marshmallow. Le butin. Je m'apprêtais à y planter mon drapeau et à contempler ma victoire du haut de cet Himalaya de sirop de glucose et d'antioxydant E428 quand j'entendis des pas.

Panique. Laissant mes pierres précieuses au sommet de l'armoire, je descendis en rappel et je me cachai sous la table. Les pieds arrivèrent : je reconnus les pantoufles de Nishio-san et les *geta* de Kashima-san.

Cette dernière s'assit pendant que la plus jeune chauffait de l'eau pour le thé. Elle lui donnait des ordres comme à une esclave et, non contente de sa domination, elle lui disait des choses terribles :

— Ils te méprisent, c'est clair.

---

1. Envie.
2. Pièces.

25 – Ce n'est pas vrai.

– Ça crève les yeux. La femme belge te parle comme à une subalterne[1].

– Il y a une seule personne qui me parle comme à une subalterne ici : c'est toi.

30 – Normal : tu es une subalterne. Moi, je ne suis pas hypocrite.

– Madame n'est pas hypocrite.

– Cette façon que tu as de l'appeler madame, c'est ridicule.

– Elle m'appelle Nishio-san. L'équivalent, dans sa langue, 35 c'est madame.

– Quand tu as le dos tourné, tu peux être sûre qu'elle t'appelle la bonniche.

– Qu'est-ce que tu en sais ? Tu ne parles pas français.

– Les Blancs ont toujours méprisé les Japonais.

40 – Pas eux.

– Que tu es sotte !

– Monsieur chante le *nô !*

– « Monsieur » ! Tu ne vois pas que l'homme belge fait ça pour se moquer de nous ?

45 – Il se lève chaque matin avant l'aurore pour aller à sa leçon de chant.

– C'est normal qu'un soldat se réveille tôt pour défendre son pays.

– C'est un diplomate, pas un soldat.

---

1. Quelqu'un d'inférieur.

50   – On a bien vu à quoi ils servaient, les diplomates, en 1940.

– On est en 1970, Kashima-san.

– Et alors ? Rien n'a changé.

– Si ce sont tes ennemis, pourquoi travailles-tu pour eux ?

– Je ne travaille pas. Tu n'as pas remarqué ?

55   – Si, j'ai remarqué. Mais tu acceptes leur argent.

– C'est peu à côté de ce qu'ils nous doivent.

– Ils ne nous doivent rien.

– Ils nous ont pris le plus beau pays du monde. Ils l'ont tué en 1945.

60   – Nous avons quand même fini par gagner. Notre pays est plus riche que le leur à présent.

– Notre pays n'est plus rien comparé à ce qu'il était avant-guerre. Tu n'as pas connu ce temps-là. Il y avait de quoi être fier d'être japonais à cette époque.

65   – Tu dis ça parce que tu parles de ta jeunesse. Tu idéalises.

– Il ne suffit pas de parler de sa jeunesse pour que ce soit beau. Toi, si tu parlais de la tienne, ce serait misérable.

– En effet. C'est parce que je suis pauvre. Avant-guerre, je l'aurais été aussi.

70   – Avant, il y avait de la beauté pour tout le monde. Pour les riches et pour les pauvres.

– Qu'est-ce que tu en sais ?

– Aujourd'hui, il n'y a plus de beauté pour personne. Ni pour les riches ni pour les pauvres.

75   – La beauté n'est pas difficile à trouver.

– Ce sont des restes. Ils sont condamnés à disparaître. C'est la décadence[1] du Japon.

– J'ai déjà entendu ça quelque part.

– Je sais ce que tu penses. Même si tu n'es pas de mon avis, tu ferais bien de t'inquiéter. Tu n'es pas aussi aimée que tu le crois, ici. Tu es bien naïve si tu ne vois pas le mépris qui se cache derrière leur sourire. C'est normal. Les gens de ton milieu ont tellement l'habitude d'être traités comme des chiens qu'ils ne le remarquent même plus. Moi, je suis une aristocrate : je sens si l'on me manque de respect.

– Ils ne te manquent vraiment pas de respect, ici.

– À moi, non. Je leur ai signifié qu'ils n'avaient pas intérêt à me confondre avec toi.

– Le résultat, c'est que je fais partie de la famille et pas toi.

– Tu es trop bête, toi, de croire des choses pareilles.

– Les enfants m'adorent, surtout la petite.

– Évidemment ! À cet âge-là, ce sont des chiots ! Si tu donnes à manger à un chiot, il t'aime !

– Je les aime, ces chiots.

– Si tu veux faire partie d'une famille de chiens, tant mieux pour toi. Mais ne t'étonne pas si, un jour, ils te traitent comme un chien, toi aussi.

– Que veux-tu dire ?

– Je me comprends, dit Kashima-san en posant son bol de thé sur la table, comme pour clore la discussion.

---

1. Chute.

Le lendemain, Nishio-san annonça à mon père qu'elle démissionnait.

– J'ai trop de travail, je suis fatiguée. Il faut que je rentre à la maison m'occuper des jumelles. Mes filles n'ont que dix ans,
105 elles ont encore besoin de moi.

Mes parents, effondrés, ne purent qu'accepter.

J'allai me suspendre au cou de Nishio-san :

– Ne pars pas ! Je t'en supplie !

Elle pleura mais ne changea pas de résolution. Je vis
110 Kashima-san qui souriait en coin.

Je courus raconter à mes parents ce que j'avais compris de la scène à laquelle j'avais assisté en cachette. Mon père, furieux contre Kashima-san, alla parler à Nishio-san en privé. Je restai dans les bras de ma mère en sanglotant et en répétant convul-
115 sivement :

– Nishio-san doit rester avec moi ! Nishio-san doit rester avec moi !

Maman m'expliqua avec douceur que, de toute façon, un jour, je quitterais Nishio-san.

120   – Ton père ne sera pas éternellement en poste au Japon. Dans un an, ou deux ans, ou trois ans, nous partirons. Et Nishio-san ne partira pas avec nous. À ce moment, il faudra bien que tu la quittes.

L'univers s'effondra sous mes pieds. Je venais d'apprendre
125 tant d'abominations[1] à la fois que je ne pouvais pas même en

---

1. Horreurs.

assimiler une seule. Ma mère n'avait pas l'air de se rendre compte qu'elle m'annonçait l'Apocalypse[1].

Je mis du temps à pouvoir articuler un son.

– Nous n'allons pas toujours rester ici ?

130 – Non. Ton père sera en poste ailleurs.

– Où ?

– On ne le sait pas.

– Quand ?

– On ne le sait pas non plus.

135 – Non. Moi, je ne pars pas. Je ne peux pas partir.

– Tu ne veux plus vivre avec nous ?

– Si. Mais vous aussi, vous devez rester.

– Nous n'avons pas le droit.

– Pourquoi ?

140 – Ton père est diplomate. C'est son métier.

– Et alors ?

– Il doit obéir à la Belgique.

– Elle est loin, la Belgique. Elle ne pourra pas le punir s'il désobéit.

145 Ma mère rit. Je pleurai de plus belle.

– C'est une blague, ce que tu m'as dit. On ne va pas partir !

– Ce n'est pas une blague. Nous partirons un jour.

– Je ne peux pas partir ! Je dois vivre ici ! C'est mon pays ! C'est ma maison !

150 – Ce n'est pas ton pays !

– C'est mon pays ! Je meurs si je pars !

---

1. Fin du monde.

Je secouais la tête comme une folle. J'étais dans la mer, j'avais perdu pied, l'eau m'avalait, je me débattais, je cherchais un appui, il n'y avait plus de sol nulle part, le monde ne voulait
155 plus de moi.

– Mais non, tu ne mourras pas.

En effet : je mourais déjà. Je venais d'apprendre cette nouvelle horrible que tout humain apprend un jour ou l'autre : ce que tu aimes, tu vas le perdre. « Ce qui t'a été donné te sera
160 repris » : c'est ainsi que je me formulai le désastre qui allait être le leitmotiv de mon enfance, de mon adolescence et des péripéties subséquentes[1]. « Ce qui t'a été donné te sera repris » : ta vie entière sera rythmée par le deuil. Deuil du pays bien-aimé, de la montagne, des fleurs, de la maison, de Nishio-san et de
165 la langue que tu lui parles. Et ce ne sera jamais que le premier deuil d'une série dont tu n'imagines pas la longueur. Deuil au sens fort, car tu ne récupéreras rien, car tu ne retrouveras rien : on essaiera de te berner comme Dieu berne Job[2] en lui « rendant » une autre femme, une autre demeure et d'autres enfants.
170 Hélas, tu ne seras pas assez bête pour être dupe[3].

– Qu'est-ce que j'ai fait de mal ? sanglotai-je.

– Rien. Ce n'est pas à cause de toi. C'est comme ça.

Si au moins j'avais fait quelque chose de mal ! Si au moins cette atrocité était une punition ! Mais non. C'est comme ça

---

1. Qui en découleraient.
2. Personnage biblique. Homme intègre et droit auquel Dieu donne puis ôte tout et qui reste ferme dans son intégrité.
3. Trompée.

175 parce que c'est comme ça. Que tu sois odieuse ou non n'y change rien. « Ce qui t'a été donné te sera repris » : c'est la règle.

À presque trois ans, on sait qu'on va mourir un jour. Ça n'a aucune importance : ce sera dans si longtemps que c'est comme si ça n'existait pas. Seulement, apprendre, à cet âge, que dans un,
180 deux, trois ans, on sera chassé du jardin, sans même avoir désobéi aux consignes suprêmes, c'est l'enseignement le plus dur et le plus injuste, l'origine de tourments et d'angoisses infinis.

« Ce qui t'a été donné te sera repris » : et si tu savais ce qu'on aura le culot de te reprendre un jour !
185 Je me mis à hurler de désespoir.

À ce moment, mon père et Nishio-san réapparurent. Cette dernière courut me prendre dans ses bras.

– Rassure-toi, je reste, je ne pars plus, je reste avec toi, c'est fini !
190 Si elle m'avait dit cela un quart d'heure plus tôt, j'aurais explosé de joie. Désormais, je savais que c'était un atermoiement[1] : le drame était remis à plus tard. Maigre consolation.

Face à la découverte de cette spoliation[2] future, il n'y a que deux attitudes possibles : soit on décide de ne pas s'attacher aux
195 êtres et aux choses, afin de rendre l'amputation moins douloureuse ; soit on décide, au contraire, d'aimer d'autant plus les êtres et les choses, d'y mettre le paquet – « puisque nous n'aurons pas beaucoup de temps ensemble, je vais te donner en un an tout l'amour que j'aurais pu te donner en une vie ».

1. Délai.
2. Perte.

²⁰⁰ Tel fut aussitôt mon choix : je refermai mes bras autour de Nishio-san et serrai son corps autant que mes forces inexistantes le permettaient. Cela ne m'empêcha pas de pleurer encore longuement.

Kashima-san passa par là et vit la scène : moi dans l'étreinte ²⁰⁵ d'une Nishio-san apaisée et attendrie. Elle comprit, sinon mon espionnage, au moins le rôle affectif que j'avais joué dans cette affaire.

Elle resserra les lèvres. Je la vis me jeter un regard de haine.

Mon père me rassura un rien : notre départ du Japon n'était ²¹⁰ prévu que dans deux ou trois ans. Deux ou trois années équivalaient pour moi à la durée d'une vie : j'en avais encore pour une existence entière au pays de ma naissance. Ce fut un soulagement amer, comme ces médicaments qui apaisent la douleur sans guérir la maladie. Je suggérai à l'auteur de mes jours ²¹⁵ de changer de métier. Il me répondit que la carrière d'égoutier ne l'attirait pas trop.

Je vécus dès lors dans un sentiment de solennité[1]. L'après-midi même de cette révélation tragique, Nishio-san m'emmena à la plaine de jeu ; j'y passai une heure à sauter frénétiquement ²²⁰ sur le muret du bac à sable en me répétant ces mots :

« Tu dois te souvenir ! Tu dois te souvenir !

« Puisque tu ne vivras pas toujours au Japon, puisque tu seras chassée du jardin, puisque tu perdras Nishio-san et la montagne, puisque ce qui t'a été donné te sera repris, tu as pour

---

1. Gravité.

225 devoir de te rappeler ces trésors. Le souvenir a le même pouvoir que l'écriture : quand tu vois le mot "chat" écrit dans un livre, son aspect est bien différent du matou des voisins qui t'a regardée avec ses si beaux yeux. Et pourtant, voir ce mot écrit te procure un plaisir similaire à la présence du chat, à son regard
230 doré posé sur toi.

« La mémoire est pareille. Ta grand-mère est morte mais le souvenir de ta grand-mère la rend vivante. Si tu parviens à écrire les merveilles de ton paradis dans la matière de ton cerveau, tu transporteras dans ta tête sinon leur réalité miraculeuse, au
235 moins leur puissance.

« Désormais, tu ne vivras plus que des sacres. Les moments qui le mériteront seront revêtus d'un manteau d'hermine[1] et couronnés en la cathédrale de ton crâne. Tes émotions seront tes dynasties. »

---

1. Fourrure blanche mouchetée de noir qui parait le manteau des rois.

Vint enfin le jour de mes trois ans. C'était le premier anniversaire dont j'étais consciente. L'événement me sembla d'importance planétaire. Le matin, je m'éveillai en imaginant que Shukugawa serait en fête.

5   Je sautai dans le lit de ma sœur encore endormie et la secouai :

— Je veux que tu sois la première à me dire bon anniversaire.

Il me semblait qu'elle en serait très honorée. Elle maugréa[1] bon anniversaire et se retourna d'un air mécontent.

10 Je quittai cette ingrate et descendis à la cuisine. Nishio-san fut parfaite : elle s'agenouilla devant l'enfant-dieu que j'étais et me félicita pour mon exploit. Elle avait raison : avoir trois ans, ce n'était pas à la portée de n'importe qui.

Puis elle se prosterna devant moi. Je ressentis un contentement 15 intense.

Je lui demandai si les villageois allaient venir m'acclamer chez moi ou si c'était moi qui devais aller marcher dans la rue pour recevoir leurs applaudissements. Nishio-san eut un instant de perplexité avant de trouver cette réponse :

20 — C'est l'été. Les gens sont partis en vacances. Sinon, ils auraient organisé un festival pour toi.

Je me dis que c'était mieux comme ça. Ces festivités m'auraient sans doute lassée. Rien de tel que l'intimité pour célébrer mon triomphe. Du moment que je recevais mon éléphant 25 en peluche, la journée connaîtrait le sommet de son faste.

---

1. Ronchonna.

Les parents m'annoncèrent que j'aurais mon cadeau lors du goûter. Hugo et André me dirent qu'exceptionnellement ils s'abstiendraient de m'embêter pendant un jour. Kashima-san ne me dit rien.

30 Je passai les heures qui suivirent dans une impatience hallucinée. Cet éléphant serait le présent le plus fabuleux que l'on m'aurait offert de ma vie. Je m'interrogeais sur la longueur de sa trompe et le poids qu'il aurait dans mes bras.

J'appellerais cet éléphant Éléphant : ce serait un joli nom 35 pour un éléphant.

À quatre heures de l'après-midi, on m'appela. J'arrivai à la table du goûter avec des battements de cœur de huit degrés sur l'échelle de Richter[1]. Je ne vis aucun paquet. Il devait être caché.

Formalités. Gâteau. Trois bougies allumées que je soufflai 40 pour expédier ça. Chansons.

– Où est mon cadeau ? finis-je par demander.

Les parents eurent un sourire futé.

– C'est une surprise.

Inquiétude :

45 – Ce n'est pas ce que j'ai demandé ?

– C'est mieux !

Mieux qu'un pachyderme[2] en peluche, ça n'existait pas. Je présageai le pire.

– C'est quoi ?

1. Mesure de l'intensité des séismes.
2. Éléphant.

50 On me conduisit au petit étang de pierre du jardin.

– Regarde dans l'eau.

Trois carpes vivantes s'y ébattaient.

– Nous avons remarqué que tu avais une passion pour les poissons et en particulier pour les carpes. Alors nous t'en 55 offrons trois : une par année. C'est une bonne idée, n'est-ce pas ?

– Oui, répondis-je avec une politesse consternée.

– La première est orange, la deuxième est verte, la troisième est argentée. Tu ne trouves pas que c'est ravissant ?

60 – Si, dis-je en pensant que c'était immonde[1].

– C'est toi qui t'occuperas d'elles. On t'a préparé un stock de galettes de riz soufflé : tu les découpes en petits morceaux et tu les leur jettes, comme ça. Tu es contente ?

– Très.

65 Enfer et damnation. J'aurais préféré ne rien recevoir.

Ce n'était pas tant par courtoisie que j'avais menti. C'était parce qu'aucun langage connu n'aurait pu approcher la teneur de mon dépit, parce qu'aucune expression n'aurait pu arriver à la cheville de ma déception.

70 Dans la liste infinie des questions humaines sans réponse, il faut insérer celle-ci : que se passe-t-il dans la tête des parents bien intentionnés quand, non contents de se faire sur leurs

---

1. Dégoûtant.

enfants des idées ahurissantes, ils prennent à leur place des ini-
tiatives ?

75   Il est d'usage de demander aux gens ce qu'ils voulaient devenir quand ils étaient petits. Dans mon cas, il est plus intéressant de poser cette question à mes parents : leurs réponses
successives donnent l'image exacte de ce que je n'ai jamais voulu
devenir.

80   Lorsque j'avais trois ans, ils proclamaient « ma » passion pour
l'élevage des carpes. Quand j'eus sept ans, ils annoncèrent
« ma » décision solennelle d'entrer dans la carrière diploma-
tique. Mes douze ans virent croître leur conviction d'avoir pour
rejeton un leader politique. Et lorsque j'eus dix-sept ans, ils
85 déclarèrent que je serais l'avocate de la famille.

Il m'arrivait de leur demander d'où leur venaient ces idées
étranges. À quoi ils me répondaient, toujours avec le même
aplomb, que « ça se voyait » et que « c'était l'avis de tout le
monde ». Et quand je voulais savoir qui était « tout le monde »,
90 ils disaient :

– Mais tout le monde, enfin !

Il ne fallait pas contrarier leur bonne foi.

Revenons à mes trois ans. Puisque mon père et ma mère
avaient pour moi des ambitions dans la pisciculture, je m'ap-
95 pliquai, par bienveillance filiale, à mimer les signes extérieurs
de l'ichtyophilie[1].

---

1. Passion pour les poissons.

Avec mes crayons de couleur, dans mes carnets à dessins, je me mis à créer des poissons par milliers, avec nageoires grandes, petites, multiples, absentes, écailles vertes, rouges, bleues à pois 100 jaunes, orange à rayures mauves.

– Nous avons eu raison de lui offrir les carpes ! disaient les parents ravis en regardant mes œuvres.

Cette histoire eût été comique s'il n'y avait eu mon devoir quotidien de nourrir cette faune aquatique.

105 J'allais dans la remise chercher quelques galettes de riz soufflé. Puis, debout au bord de l'étang de pierre, j'effritais cet aliment aggloméré et jetais à l'eau des morceaux au calibre du pop-corn.

C'était plutôt rigolo. Le problème, c'étaient ces sales bêtes de 110 carpes qui venaient alors à la surface, gueules ouvertes, pour prendre leur casse-croûte.

La vision de ces trois bouches sans corps qui émergeaient de l'étang pour bouffer me stupéfiait de dégoût.

Mes parents, jamais à court d'une bonne idée, me dirent :

115 – Ton frère, ta sœur et toi, vous êtes trois, comme les carpes. Tu pourrais appeler l'orange André, la verte Juliette, et l'argentée porterait ton nom.

Je trouvai un prétexte gentil pour éviter ce désastre onomastique[1].

120 – Non. Hugo serait triste.

---

1. Qui a trait au nom.

– C'est vrai. Nous pourrions acheter une quatrième carpe ?
Vite, inventer quelque chose, n'importe quoi.

– Non. Je leur ai déjà donné des noms.

– Ah. Et comment les as-tu appelées ?

125 « Qu'est-ce qui va par trois, déjà ? » me demandai-je à la
vitesse de l'éclair. Je répondis :

– Jésus, Marie et Joseph.

– Jésus, Marie et Joseph ? Tu ne penses pas que ce sont des
drôles de noms, pour des poissons ?

130 – Non, affirmai-je.

– Et qui est qui ?

– L'orange est Joseph, la verte est Marie, l'argentée est Jésus.

Ma mère finit par rire à l'idée d'une carpe qui s'appelait
Joseph. Mon baptême fut accepté.

135 Chaque jour, à midi, au moment où le soleil était au plus
haut dans le ciel, je pris l'habitude de venir nourrir la trinité[1].
Prêtresse piscicole, je bénissais la galette de riz, la rompais et la
lançais à la flotte en disant :

– Ceci est mon corps livré pour vous.

140 Les sales gueules de Jésus, Marie et Joseph rappliquaient à
l'instant. En un grand fracas d'eau fouettée à coups de
nageoires, ils se jetaient sur leur pitance, ils se battaient pour
avaler le plus possible de ces crottes de bouffe.

Était-ce si bon que ça, pour justifier de telles disputes ? Je

---

1. Les trois divinités.

145 mordis dans cette espèce de frigolite[1] : ça n'avait aucun goût.
Autant manger de la pâte à papier.

Pourtant, il fallait voir comme ces andouilles de poissons s'af-
frontaient pour cette manne[2] qui, gonflée de liquide, devait être
carrément infecte. Ces carpes m'inspiraient un mépris sans
150 bornes.

Je m'efforçais, en dispersant le riz aggloméré, de regarder le
moins possible les bouches de ce peuple. Celles des humains
qui bouffent sont déjà un spectacle pénible, mais ce n'était rien
à côté de celles de Jésus, Marie et Joseph. Une bouche d'égout
155 eût été ragoûtante[3] en comparaison. Le diamètre de leur orifice était presque égal au diamètre de leur corps, ce qui eût évoqué la section d'un tuyau, s'il n'y avait eu leurs lèvres
poissonneuses qui me regardaient de leur regard de lèvres, ces
lèvres saumâtres qui s'ouvraient et se refermaient avec un bruit
160 obscène, ces bouches en forme de bouées qui bouffaient ma
bouffe avant de me bouffer moi !

Je m'accoutumai à faire cette tâche les yeux fermés. C'était
une question de survie. Mes mains d'aveugle émiettaient la
galette et jetaient devant elles, au hasard. Une salve[4] de « plouf
165 plouf gloup gloup » me signalait que la trinité, semblable à une
population affamée, avait suivi à la trace mes expériences de
balistique alimentaire. Même ces bruits étaient ignobles, mais
il m'eût été impossible de boucher mes oreilles.

---

1. Mousse compacte à base de polystyrène.
2. Nourriture tombée du ciel.
3. Appétissante.
4. Série.

Ce fut mon premier dégoût. C'est étrange. Je me souviens,
170 avant l'âge de trois ans, d'avoir contemplé des grenouilles écra-
sées, d'avoir modelé de la poterie artisanale avec mes déjections,
d'avoir détaillé le contenu du mouchoir de ma sœur enrhumée,
d'avoir posé mon doigt sur un morceau de foie de veau cru –
tout cela sans l'ombre d'une répulsion[1], animée par une noble
175 curiosité scientifique.

Alors pourquoi la bouche des carpes provoqua-t-elle en moi
ce vertige horrifié, cette consternation des sens, ces sueurs
froides, cette obsession morbide[2], ces spasmes du corps et de
l'esprit ? Mystère.

180 Il m'arrive de penser que notre unique spécificité individuelle
réside en ceci : dis-moi ce qui te dégoûte et je te dirai qui tu
es. Nos personnalités sont nulles, nos inclinations plus banales
les unes que les autres. Seules nos répulsions parlent vraiment
de nous.

185 Dix ans plus tard, en apprenant le latin, je tombai sur cette
phrase : *Carpe diem.*

Avant que mon cerveau ait pu l'analyser, un vieil instinct en
moi avait déjà traduit : « Une carpe par jour. » Adage[3] dégueu-
lasse s'il en fut, qui résumait mon calvaire[4] d'antan.

190 « Cueille le jour » était évidemment la bonne traduction.
Cueille le jour ? Tu parles. Comment veux-tu jouir des fruits

---

1. Dégoût.
2. Qui appelle la mort.
3. Devise.
4. Torture.

du quotidien quand, avant midi, tu ne penses qu'au supplice qui t'attend et quand, après midi, tu ressasses[1] ce que tu as vu ?

J'essayais de ne plus y penser. Hélas, il n'y a pas d'appren-
tissage plus difficile. Si nous étions capables de ne plus penser à nos problèmes, nous serions une race heureuse.

Autant dire à Blandine[2], dans la fosse de son supplice : « Allons, ne pense pas aux lions, voyons ! »

Comparaison fondée : j'avais de plus en plus l'impression que c'était ma propre chair qui nourrissait les carpes. Je mai-
grissais. Après le déjeuner des poissons, on m'appelait à table ; je ne pouvais rien avaler.

La nuit, dans mon lit, je peuplais l'obscurité de bouches béantes. Sous mon oreiller, je pleurais d'horreur. L'autosug-
gestion[3] était si forte que les gros corps écailleux et flexibles me rejoignaient entre les draps, m'étreignaient – et leur gueule lip-
pue[4] et froide me roulait des pelles. J'étais l'impubère amante de fantasmes pisciformes[5].

Jonas et la baleine[6] ? Quel blagueur ! Il était bien à l'abri dans le ventre cétacé. Si, au moins, j'avais pu servir de farce à la panse de la carpe, j'aurais été sauvée. Ce n'était pas son estomac qui me dégoûtait, mais sa bouche, le mouvement de valvule[7] de ses

---

1. Rumines, repenses à.
2. Sainte Blandine, morte en 177, torturée par les lions.
3. Capacité à faire venir soi-même les images.
4. Aux grosses lèvres.
5. Rêves érotiques en forme de poisson.
6. Personnage biblique, avalé par une baleine, après avoir été jeté par-dessus bord, à sa demande, par l'équipage du bateau sur lequel il voyage. En effet, il est convaincu d'être la cause de la tem-
pête, car il a désobéi à Dieu.
7. Petite ouverture.

mandibules qui me violaient les lèvres pendant des éternités
nocturnes. À force de fréquenter des créatures dignes de Jérôme
215 Bosch[1], mes insomnies naguère féeriques virèrent au martyre.

Angoisse annexe : à trop subir les baisers poissonneux, n'allais-je pas changer d'espèce ? N'allais-je pas devenir silure[2] ?
Mes mains longeaient mon corps, guettant d'hallucinantes
métamorphoses.

1. Peintre des Pays-Bas (1453-1516) connu pour des représentations de monstres, notamment
aquatiques.
2. Grand poisson qui vit, comme la carpe, sur des fonds vaseux.

Avoir trois ans n'apportait décidément rien de bon. Les Nippons avaient raison de situer à cet âge la fin de l'état divin. Quelque chose – déjà ! – s'était perdu, plus précieux que tout et qui ne se récupérerait pas : une forme de confiance en la
5 pérennité[1] bienveillante du monde.

J'avais entendu mes parents dire que, bientôt, j'irais à l'école maternelle japonaise : propos qui n'augurait[2] que désastres. Quoi ! Quitter le jardin ? Me joindre à un troupeau d'enfants ? Quelle idée !
10 Il y avait plus grave. Au sein même du jardin, il y avait une inquiétude. La nature avait atteint une sorte de saturation[3]. Les arbres étaient trop verts, trop feuillus, l'herbe était trop riche, les fleurs explosaient comme si elles avaient trop mangé. Depuis la deuxième moitié du mois d'août, les plantes avaient la moue
15 gavée[4] des lendemains d'orgie[5]. La force vitale que j'avais sentie contenue en toute chose était en train de se transformer en lourdeur.

Sans le savoir, je voyais se révéler à moi l'une des lois les plus effrayantes de l'univers : ce qui n'avance pas recule. Il y a la
20 croissance et puis il y a la décrépitude[6] ; entre les deux, il n'y a rien. L'apogée[7], ça n'existe pas. C'est une illusion. Ainsi, il n'y

---

1. État de ce qui dure.
2. Annonçait.
3. Excès.
4. Pleine.
5. Festin excessif.
6. Chute, dégénérescence.
7. Perfection, sommet.

avait pas d'été. Il y avait un long printemps, une montée spec-
taculaire des sèves et des désirs : mais dès que cette poussée était
finie, c'était déjà la chute.

25   Dès le 15 août, la mort l'emporte. Certes, aucune feuille ne
donne le moindre signe de roussissement ; certes, les arbres sont
si chevelus que leur calvitie prochaine est inimaginable. Les ver-
dures sont plus plantureuses[1] que jamais, les parterres prospè-
rent, cela sent l'âge d'or. Et pourtant, ce n'est pas l'âge d'or,
30   pour cette raison que l'âge d'or est impossible, pour cette raison que la stabilité n'existe pas.

À trois ans, je ne savais rien de cela. J'étais à des années-
lumière du roi qui se meurt en s'écriant : « Ce qui doit finir est
déjà fini. » J'aurais été incapable de formuler les termes de mon
35   angoisse. Mais je sentais, oui, je sentais qu'une agonie se pré-
parait. La nature en faisait trop : cela cachait quelque chose.

Si j'en avais parlé avec autrui, on m'aurait expliqué le cycle
des saisons. À trois ans, on ne se souvient pas de l'année dernière, on n'a pas eu à constater l'éternel retour de l'identique,
40   et une saison nouvelle est un désastre irréversible.

À deux ans, on ne remarque pas ces changements et on s'en
fiche. À quatre ans, on les remarque, mais le souvenir de l'année précédente les banalise et les dédramatise. À trois ans,
l'anxiété est absolue : on remarque tout et on ne comprend rien.
45   Il n'y a aucune jurisprudence[2] mentale à consulter pour s'apai-

---

1. Généreuses, riches.
2. Loi.

ser. À trois ans, on n'a pas non plus le réflexe de demander à autrui une explication : on n'est pas forcément conscient que les grands ont plus d'expérience – et on n'a peut-être pas tort.

À trois ans, on est un Martien. Il est passionnant mais terri-
50 fiant d'être un Martien qui débarque. On observe des phéno-
mènes inédits, opaques. On ne possède aucune clé. Il faut inventer des lois à partir de ses seules observations. Il faut être aristotélicien[1] vingt-quatre heures sur vingt-quatre, ce qui est particulièrement exténuant quand on n'a jamais entendu par-
55 ler des Grecs.

Une hirondelle ne fait pas le printemps. À trois ans, on aime-rait savoir à partir de quel nombre d'hirondelles on peut croire en quelque chose. Une fleur qui meurt ne fait pas l'automne. Deux cadavres de fleurs non plus, sans doute. Il n'empêche que
60 l'inquiétude s'installe. À partir de combien d'agonies florales faudra-t-il, dans sa tête, tirer le signal d'alarme de la mort en marche ?

Champollion[2] d'un chaos grandissant, je me réfugiais dans le tête-à-tête avec ma toupie. Je sentais qu'elle avait des infor-
65 mations cruciales[3] à me livrer. Hélas, je n'entendais pas son lan-gage.

Fin août. Midi. C'est l'heure du supplice. Va nourrir les carpes.

---

1. Qui met en pratique la philosophie d'Aristote, philosophe grec né vers 384 avant J.-C.
2. Égyptologue français (1790-1832), déchiffreur des hiéroglyphes.
3. Essentielles.

Courage. Tu l'as fait tant de fois, déjà. Tu as survécu. Ce n'est
70 qu'un très mauvais moment à passer.

Je prends les galettes de riz dans la remise. Je vais à l'étang
de pierre. Le soleil perpendiculaire fait scintiller l'eau comme
de l'aluminium. Cette surface lisse et brillante ne tarde pas à
être gâchée par trois bonds successifs : Jésus, Marie et Joseph
75 m'ont vue et sautent, ce qui est leur manière d'appeler les autres
à table.

Quand ils ont fini de se prendre pour des poissons volants,
ce qui, vu leur grosseur, est parfaitement obscène, ils installent
leurs bouches ouvertes au ras de la flotte et attendent.

80 Je jette des fragments de bouffe. Le bouquet de gueules se
lance dessus. Les tuyaux ouverts avalent. Lorsqu'ils ont dégluti,
ils réclament de plus belle. Leur gorge est si béante qu'en se
penchant un peu on y verrait jusqu'à leur estomac. En conti-
nuant à distribuer la pitance, je suis de plus en plus obnubilée[1]

85 par ce que la trinité me montre : normalement, les créatures
cachent l'intérieur de leur corps. Que se passerait-il si les gens
exhibaient leurs entrailles ?

Les carpes ont enfreint ce tabou[2] primordial : elles m'impo-
sent la vision de leur tube digestif à l'air.

90 Tu trouves ça répugnant ? À l'intérieur de ton ventre, c'est
la même chose. Si ce spectacle t'obsède tellement, c'est peut-
être parce que tu t'y reconnais. Crois-tu que ton espèce soit dif-

---

1. Obsédée.
2. Interdit sacré, fondateur.

férente ? Les tiens mangent moins salement, mais ils mangent, et dans ta mère, dans ta sœur, c'est comme ça aussi.

95   Et toi, que crois-tu être d'autre ? Tu es un tube sorti d'un tube. Ces derniers temps, tu as eu l'impression glorieuse d'évoluer, de devenir de la matière pensante. Foutaise. La bouche des carpes te rendrait-elle si malade si tu n'y voyais ton miroir ignoble ? Souviens-toi que tu es tube et que tube tu redeviendras.

100   Je fais taire cette voix qui me dit ces horreurs. Depuis deux semaines, j'affronte chaque midi le bassin des poissons et je constate que, loin de m'habituer à cette abomination, j'y suis de plus en plus sensible. Et si ce dégoût, que j'avais pris pour une minauderie[1] débile, un caprice, était un message sacré ? En
105   ce cas, il faut que je l'affronte pour le comprendre. Il faut que je laisse parler la voix.

Regarde donc. Regarde de tous tes yeux. La vie, c'est ce que tu vois : de la membrane, de la tripe, un trou sans fond qui exige d'être rempli. La vie est ce tuyau qui avale et qui reste
110   vide.

Mes pieds sont au bord de l'étang. Je les observe avec suspicion, je ne suis plus sûre d'eux. Mes yeux remontent et regardent le jardin. Il n'est plus cet écrin qui me protégeait, cet enclos de perfection. Il contient la mort.

115   Entre la vie – des bouches de carpes qui déglutissent – et la mort – des végétaux en lente putréfaction[2] –, qu'est-ce que tu choisis ? Qu'est-ce qui te donne le moins envie de vomir ?

---

1. Coquetterie.
2. Pourrissement.

Je ne réfléchis plus. Je tremble. Mes yeux rechutent vers les
gueules des animaux. J'ai froid. J'ai un haut-le-cœur. Mes
120 jambes ne me portent plus. Je ne lutte plus. Hypnotisée, je me
laisse tomber dans le bassin.

Ma tête heurte le fond de pierre. La douleur du choc disparaît presque aussitôt. Mon corps, devenu indépendant de mes
volontés, se retourne, et je me retrouve à l'horizontale, à mi-
125 profondeur, comme si je faisais la planche un mètre sous l'eau.
Et là, je ne bouge plus. Le calme se rétablit autour de moi. Mon
angoisse a fondu. Je me sens très bien.

C'est drôle. La dernière fois que je me suis noyée, il y avait
en moi une révolte, une rage, le besoin puissant de me tirer de
130 là. Cette fois-ci, pas du tout. Il est vrai que je l'ai choisi. Je ne
sens même pas que l'air me manque.

Délicieusement sereine, j'observe le ciel à travers la surface
de l'étang. La lumière du soleil n'est jamais aussi belle que vue
par-dessous l'eau. Je l'avais déjà pensé lors de la première
135 noyade.

Je me sens bien. Je ne me suis jamais sentie aussi bien. Le
monde vu d'ici me convient à merveille. Le liquide m'a à ce
point digérée que je ne provoque plus aucun remous. Écœu-
rées par mon intrusion, les carpes se sont tapies dans un coin
140 et ne bougent plus. Le fluide s'est figé en un calme d'eau morte
qui me permet de contempler les arbres du jardin comme au
travers d'un monocle[1] géant. Je choisis de ne plus regarder que
les bambous : rien, dans notre univers, ne mérite autant d'être

---

1. Lunette.

admiré que les bambous. Le mètre d'épaisseur aquatique qui
145 me sépare d'eux exalte leur beauté.

Je souris de bonheur.

Soudain, quelque chose s'interpose entre les bambous et
moi : une frêle silhouette humaine apparaît qui se penche vers
moi. Je pense avec ennui que cette personne va vouloir me repê-
150 cher. On ne peut même plus se suicider tranquille.

Mais non. Le prisme de l'eau me révèle peu à peu les traits
de l'humain qui m'a repérée : c'est Kashima-san. Je cesse aussitôt d'avoir peur. Elle est une vraie Japonaise du passé et, en
plus, elle me déteste : deux bonnes raisons pour qu'elle ne me
155 sauve pas.

De fait. Le visage élégant de Kashima-san demeure impassible. Sans bouger, elle me regarde dans les yeux. Voit-elle que je
suis contente ? Je ne sais pas. Allez savoir ce qui se passe dans
la tête d'une Nippone du temps jadis.

160 Une seule chose est sûre : cette femme me laissera la mort
sauve.

À mi-chemin entre l'au-delà et le jardin, je parle, sans bruit,
dans mon crâne :

« Je savais qu'on finirait par s'entendre, Kashima-san. Tout
165 va bien, maintenant. Quand je me noyais dans la mer et que
je voyais les gens qui, sur la plage, me regardaient sans essayer
de me sauver, ça me rendait malade. À présent, grâce à toi, je
les comprends. Ils étaient aussi calmes que toi. Ils ne voulaient
pas perturber l'ordre de l'univers, lequel exigeait ma mort par
170 l'eau. Ils savaient que cela ne servait à rien de me sauver. Celui

qui doit être noyé sera noyé. La preuve, c'est que ma mère m'a tirée de l'eau et que je m'y retrouve quand même. »

Est-ce une illusion ? Il me semble que Kashima-san sourit.

« Tu as raison de sourire. Quand le destin de quelqu'un s'ac-
175 complit, il faut sourire. Je suis heureuse de savoir que je n'irai plus jamais nourrir les carpes et que je ne quitterai jamais le Japon. »

Cette fois, je le vois distinctement : Kashima-san sourit – elle me sourit enfin ! – et puis elle s'en va sans se presser. Je suis
180 désormais en tête à tête avec la mort. Je sais avec certitude que Kashima-san ne préviendra personne. J'ai raison.

Crever prend du temps. Cela fait une éternité que je suis entre deux eaux. Je repense à Kashima-san. Il n'y a pas plus fas-cinant que l'expression d'un être humain qui vous regarde mou-
185 rir sans tenter de vous sauver. Il lui eût suffi de plonger la main dans le bassin pour ramener à la vie une enfant de trois ans. Mais si elle l'avait fait, elle n'eût pas été Kashima-san.

Ce qui me soulage le plus, dans ce qui m'arrive, c'est que je n'aurai plus peur de la mort.

190 En 1945, à Okinawa[1], île du sud du Japon, il s'est passé – quoi ? Je ne trouve pas de mot pour qualifier cela.

C'était juste après la capitulation. Les habitants d'Okinawa savaient que la guerre était perdue et que les Américains, déjà

---

1. La bataille d'Okinawa dura du 1er avril aux environs du 23 juin 1945. Elle fit 230 000 victimes japonaises, dont la moitié de civils.

débarqués sur leur île, allaient marcher sur leur territoire entier.
195 Ils savaient aussi que la nouvelle consigne était de ne plus se
battre.

Là s'arrêtait leur information. Leurs chefs leur avaient dit,
naguère, que les Américains les tueraient jusqu'au dernier ; les
insulaires en étaient restés à cette conviction. Et quand les sol-
200 dats blancs avaient commencé à avancer, la population avait
commencé à reculer. Et ils avaient reculé au fur et à mesure que
l'ennemi victorieux gagnait du terrain. Et ils étaient arrivés à
l'extrémité de l'île, qui se terminait en une longue falaise
abrupte surplombant la mer. Et comme ils étaient persuadés
205 qu'on allait les tuer, l'immense majorité d'entre eux s'étaient
jetés dans la mort du haut du promontoire.

La falaise était très élevée et, en dessous d'elle, le rivage était
hérissé de récifs tranchants. Aucun de ceux qui s'y sont préci-
pités n'a survécu. Quand les Américains sont arrivés, ils ont été
210 horrifiés de ce qu'ils ont découvert.

En 1989, je suis allée voir cette falaise. Rien, pas même une
pancarte, n'indique ce qui s'y est passé. Des milliers de gens s'y
sont suicidés en quelques heures sans que le lieu en paraisse
affecté. La mer a avalé les corps qui s'étaient éclatés sur les rochers.
215 L'eau reste une mort plus courante au Japon que le *seppuku*[1].

Il est impossible d'être à cet endroit sans essayer de se mettre dans la peau de ceux qui s'y sont donné là cette mort collective. Il est probable que, parmi eux, beaucoup se sont

---

1. Suicide rituel, plus connu sous le nom de hara-kiri.

suicidés par crainte d'être torturés. Il est vraisemblable aussi que
220 la splendeur de ce lieu a encouragé beaucoup d'entre eux à com-
mettre cet acte qui symbolisait la superbe[1] patriotique.

Il n'en reste pas moins que l'équation première de cette héca-
tombe est celle-ci : du haut de cette magnifique falaise, des milliers de gens se sont tués parce qu'ils ne voulaient pas être tués,
225 des milliers de gens se sont jetés dans la mort parce qu'ils avaient
peur de la mort. Il y a là une logique du paradoxe[2] qui me sidère.

Il ne s'agit pas d'approuver ou de désapprouver un tel geste.
Cela leur ferait une belle jambe, d'ailleurs, aux cadavres
d'Okinawa. Mais je persiste à penser que la meilleure raison,
230 pour se suicider, c'est la peur de la mort.

À trois ans, je ne sais rien de tout cela. J'attends de crever
dans le bassin aux carpes. Je dois approcher du grand moment
car je commence à voir défiler ma vie. Est-ce parce que cette
dernière fut courte ? Je ne parviens pas à voir les détails de mon
235 existence. C'est comme quand on est dans un train si rapide
qu'on ne parvient pas à lire le nom des gares supposées sans
importance. Cela m'est égal. Je m'enfonce dans une merveilleuse absence d'angoisse.

La troisième personne du singulier reprend peu à peu pos-
240 session du « je » qui m'a servi pendant six mois. La chose de
moins en moins vivante se sent redevenir le tube qu'elle n'a
peut-être jamais cessé d'être.

1. Orgueil.
2. Idée contraire.

Bientôt, le corps ne sera plus que tuyau. Il se laissera envahir par l'élément adoré qui donne la mort. Enfin désencombrée de ses fonctions inutiles, la canalisation livrera passage à l'eau – à plus rien d'autre.

Soudain, une main saisit le paquet mourant par la peau du cou, le secoue et le rend brutalement, douloureusement, à la première personne du singulier.

L'air entre dans mes poumons qui s'étaient pris pour des branchies. Ça fait mal. Je hurle. Je suis en vie. Les yeux me sont rendus. Je vois que c'est Nishio-san qui m'a tirée de l'eau.

Elle crie, elle appelle à l'aide. Elle est en vie, elle aussi. Elle court dans la maison en me portant dans ses bras. Elle trouve ma mère qui, en me voyant, s'écrie :

– On file à l'hôpital de Kobé !

Nishio-san l'accompagne en courant jusqu'à la voiture. Elle lui baragouine, en un mélange de japonais, de français, d'anglais et de gémissements, dans quel état elle m'a repêchée.

Maman me jette sur le siège arrière et démarre. Elle roule à tombeau ouvert, ce qui est absurde quand on cherche à sauver la vie de quelqu'un. Elle doit penser que je suis inconsciente, car elle m'explique ce qui m'est arrivé :

– Tu nourrissais les poissons, tu as glissé, tu es tombée dans le bassin. En temps normal, tu aurais nagé sans aucun problème. Mais dans ta chute, ton front a cogné contre le fond en pierre et tu as perdu connaissance.

Je l'écoute avec perplexité. Je sais très bien que ce n'est pas ce qui m'est arrivé.

270 Elle insiste en me demandant :

— Tu comprends ?

— Oui.

Je comprends qu'il ne faut pas lui dire la vérité. Je comprends qu'il vaut mieux s'en tenir à cette version officielle. D'ailleurs, 275 je ne vois même pas avec quels mots je pourrais lui raconter ça. Je ne connais pas le terme suicide.

Il y a cependant une chose que je tiens à déclarer :

— Je ne veux plus jamais nourrir les carpes !

— Bien sûr. Je comprends. Tu as peur de tomber dans l'eau 280 à nouveau. Je te promets que tu ne les nourriras plus.

C'est toujours ça de gagné. Mon geste n'aura pas été vain[1].

— Je te prendrai dans mes bras et nous irons ensemble leur donner à manger.

Je ferme les yeux. Tout est à recommencer.

285 À l'hôpital, ma mère m'amène aux urgences. Elle me dit :

— Tu as un trou dans la tête.

Ça, c'est une nouvelle. Je suis ravie et veux en savoir plus :

— Où ça ?

— Au front, là où tu t'es cognée.

290 — Un grand trou ?

---

1. Sans conséquence.

– Oui ; tu perds beaucoup de sang.

Elle met ses doigts sur ma tempe et me les montre couverts de sang. Fascinée, je trempe mon index dans la plaie béante, sans savoir que je souligne ma propre folie.

295 – Je sens une fente.

– Oui. Ta peau est ouverte.

Je regarde mon sang avec délectation.

– Je veux me regarder dans un miroir ! Je veux voir le trou dans ma tête !

300 – Calme-toi.

Les infirmières s'occupent de moi et rassurent ma mère. Je n'écoute pas ce qu'elles se racontent. Je pense au trou dans mon front. Puisque je n'ai pas le droit de le voir, je l'imagine. J'imagine mon crâne troué sur le côté. Je frissonne d'extase.

305 J'y mets le doigt à nouveau : je veux entrer par le trou dans ma tête et explorer l'intérieur. Une infirmière me prend doucement la main pour m'en empêcher. On ne possède même pas son propre corps.

– On va te recoudre le front, dit ma mère.

310 – Avec du fil et une aiguille ?

– C'est à peu près ça.

Je n'ai pas le souvenir que l'on m'ait endormie. Je crois voir encore le médecin au-dessus de moi, avec un gros fil noir et une aiguille, en train de recoudre la boutonnière de ma tempe,

315 comme un couturier retouchant un modèle à même la cliente.

Ainsi s'acheva ce qui fut ma première – et, à ce jour, ma seule – tentative de suicide.

Je n'ai jamais dit à mes parents que ce n'était pas un accident.

320 Je n'ai jamais raconté non plus l'étrange absence de réaction de Kashima-san. Nul doute que cela lui eût valu des ennuis. Elle me haïssait et avait dû se réjouir de ma mort prochaine. Je n'exclus cependant pas la possibilité qu'elle ait soupçonné la vraie nature de mon geste et qu'elle ait respecté mon choix.

325 Éprouvais-je du dépit[1] d'avoir eu la vie sauve ? Oui. Étais-je pourtant soulagée d'avoir été repêchée à temps ? Oui. J'optai donc pour l'indifférence. Cela m'était égal, au fond, d'être morte ou vive. Ce n'était que partie remise[2].

Encore aujourd'hui, je suis incapable de trancher : eût-il 330 mieux valu que le chemin s'arrêtât fin août 1970, dans le bassin aux carpes ? Comment le savoir ? L'existence ne m'a jamais ennuyée, mais qui me dit que cela n'eût pas été plus intéressant de l'autre côté ?

Ce n'est pas très grave. De toute façon, le salut n'est qu'un 335 faux-fuyant. Un jour, il n'y aura plus moyen d'atermoyer[3] – et même les personnes les mieux intentionnées du monde n'y pourront rien.

---

1. De la déception.
2. Ce n'était qu'un délai.
3. Remettre, différer.

Ce dont je me souviens avec certitude, c'est que je me sentais bien, quand j'étais entre deux eaux.

340   Parfois, je me demande si je n'ai pas rêvé, si cette aventure
fondatrice n'est pas un fantasme. Je vais alors me regarder dans
le miroir et je vois, sur ma tempe gauche, une cicatrice d'une
éloquence admirable[1].

Ensuite, il ne s'est plus rien passé.

---

1. Qui dit les choses de façon admirable.

Après-texte

Lire

1 Trouvez les indicateurs de temps qui permettent au lecteur de suivre précisément les étapes de ce récit d'enfance (années, mois, jours). Que diriez-vous du rythme de la narration ? Étudiez le rapport entre la durée des événements racontés et le nombre de pages comptées pour chacun d'eux.

2 En quoi le début du texte (p. 9-11) est-il surprenant ? À quelle page apparaît le mot « enfant » ? Jusque-là, quels sont les deux mots et le pronom personnel qui désignent la créature présentée ? Quel point de vue narratif l'auteur choisit-il pour raconter les premiers temps qui ont suivi sa naissance ? En quoi est-il justifié par cette phrase (p. 9, l. 13) : « Son existence n'avait pas eu pour lui de début perceptible » ?

3 Relisez les pages 22 à 24 et justifiez l'adjectif « mythologique » que l'auteur emploie pour caractériser cette scène (p. 22, l. 18) ? Réfléchissez au thème de la puissance et aux motifs qui le déclinent.

4 Quel est l'événement qui renverse la situation initiale ? À quelle personne le texte sera-t-il désormais rédigé ? Quels sont le procédé et la figure de style utilisés dans cette déclaration : « Ce fut alors que je naquis [...] par la grâce du chocolat blanc. » (p. 30, l. 208-211) ? Quel est

le rôle des sens dans cet éveil à la conscience de soi ?

5 Relisez les pages 30 à 34 et dressez la liste des effets qui permettent à l'auteur d'écrire cet éloge du chocolat blanc. Quelle est la relation entre celui-ci et la mémoire ? P. 31, l. 240 : quel indice grammatical permet au lecteur de déterminer le sexe de l'enfant ?

6 Quels personnages habitent l'univers de la narratrice et constituent cette famille élargie ? Quelles en sont les figures dominantes ? Justifiez votre réponse en vous appuyant sur le nombre de pages ou de lignes consacrées à chacune d'elles. En quoi le personnage de la grand-mère est-il fondateur, même s'il disparaît au début du récit (cf. p. 43) ?

7 Étudiez la place du père dans ce souvenir d'enfance : citez les scènes dans lesquelles il apparaît et caractérisez la relation qui s'établit entre la petite fille et lui. Relevez (p. 80) un paragraphe correspondant au moment de l'écriture : quelle en est la phrase-clef ?

8 Rappelez les principaux lieux évoqués. Lequel est emblématique de cette enfance japonaise ? Pourquoi la narratrice a-t-elle élu le Japon comme « son » pays (cf. p. 58) ? À quel âge comprend-elle qu'elle en sera un jour chassée ? Que pensez-vous des réponses de la mère à la petite fille (p. 106-108) ?

9 Quel est l'animal familier dans le bestiaire de cette enfance ? En quoi confirme-t-il le caractère surprenant, paradoxal de ce récit ?

Écrire

10 Le chocolat blanc est la cause directe de la naissance de la narratrice au monde, à la perception. En remontant aussi loin que vous le pouvez dans vos souvenirs sensoriels, dites quel est le premier goût qui vous a apporté la volupté.

11 Comparez ce récit d'enfance avec ceux que vous avez déjà pu lire : qu'est-ce qui vous a surpris, plu, voire

dérangé ? Quel regard l'auteur porte-t-elle sur ces trois premières années ? Que vous a-t-on dit des débuts de votre existence ?

Chercher

12 Lisez l'*incipit* de l'Ancien Testament et comparez-le avec celui de *Métaphysique des tubes* : que remarquez-vous ?

13 Cherchez l'étymologie du mot « enfant » et la formation du mot « enfançon » (p. 24, l. 57).

14 Quelles naissances extraordinaires les mythologies grecque et latine racontent-elles ?

ÉVOQUER L'ENFANCE

Le projet autobiographique soulève des questions fondatrices pour l'auteur et le texte qu'il s'apprête à écrire :
— Jusqu'où la mémoire consciente peut-elle remonter ? Le pacte d'authenticité autorise-t-il à combler par la fiction les lacunes du souvenir ?
— Écrire son enfance, c'est la faire revivre par les mots. L'auteur doit donc s'interroger sur les motifs et les procédés qui restitueront les expériences, les sensations, les sentiments vécus.
— Quelle relation établir entre le narrateur-enfant et le narrateur-adulte ? Pourquoi écrire son enfance ? Pour le plaisir de cette réminiscence ? Pour mieux comprendre le présent ?
— Enfin, la question de la réception du texte est première : pour qui écrit-on son enfance ? Comment les acteurs de cette enfance vont-ils accueillir le récit ? Quelle distance établir entre les faits vécus et leur narration ? Quels tons choisir ?

Lire

1 Citez, dans leur succession chronologique, les mots par lesquels la narratrice désigne les différentes étapes de son évolution, les différents états de son « moi » (p. 9 à 30). Quelle différence établit-elle entre exister et vivre (cf. p. 9, l. 12 : « Dieu ne vivait pas, il existait. ») ?

2 La narratrice développe la théorie de l'accident mental : quelle est la figure de style utilisée pour le définir (p. 20-21, l. 218-225) ? Quelle valeur donneriez-vous au présent de l'indicatif dans ces lignes ?

3 Dressez la liste des premières fois qui rythment ce récit d'enfance : rencontres avec une personne, un lieu, une sensation, un sentiment... Quel rang la nature occupe-t-elle dans cette liste ? Relevez (p. 55-57) la phrase qui justifie cette analyse.

4 Quelles sont les aventures qui relèvent de la découverte du plaisir, de l'exaltation ? Montrez qu'elles sont à la fois « séduisantes », « dangereuses » (p. 94, l. 133) et qu'elles sont aussi une expérience des limites.

5 La découverte des mots pose « un problème d'étiquette », écrit l'auteur (p. 35, l. 43). Ce terme crée-t-il une contradiction avec le thème de l'aventure ? Sur quel ton la narratrice évoque-t-elle l'avènement des pre-

miers mots ? Quels sont justement ces six premiers mots ?

6 « À trois ans, on est un Martien. Il est passionnant mais terrifiant d'être un Martien qui débarque », écrit la narratrice (p. 124, l. 49-50). Quelles sont les découvertes essentielles qu'elle fait à cet âge ? En quoi sont-elles fondatrices ?

7 Quelle sensation la fillette découvre-t-elle en étant obligée de s'occuper des carpes ? Quel est le champ lexical dominant dans les pages 118 et 119 ? Relevez le vocabulaire dévalorisant utilisé pour évoquer la trinité.

8 Quelle est la dernière « aventure fondatrice » ? Relevez, page 136, la phrase qui dessine une construction cyclique du récit. Cette forme aboutit-elle ? Sous l'action de quel personnage ?

9 Comment comprenez-vous la chute de ce récit : « Ensuite, il ne s'est plus rien passé » ? Qu'est-ce qu'une chute, en littérature ?

Écrire

10 Avez-vous le souvenir d'avoir vécu, dans votre enfance, une expérience dangereuse qui vous a amené, comme la narratrice, aux limites de la mort ? Si oui, dites quelles en furent les circonstances, l'issue et les sensations éprouvées.

Chercher

11 Faites une recherche sur le personnage d'Alice dans le récit de Lewis Carroll, *Alice au pays des merveilles*, publié en 1865. Quelles correspondances pouvez-vous établir entre la narratrice et celle-ci ?

12 On a évoqué le narcissisme, comme marqueur du texte autobiographique : quelle définition la psychanalyse donne-t-elle de cette notion ? Quelle est la figure des *Métamorphoses* d'Ovide à l'origine du narcissisme ?

À SAVOIR

LES ENJEUX DU TEXTE AUTOBIOGRAPHIQUE

« Parfois, je me demande si je n'ai pas rêvé, si cette aventure fondatrice n'est pas un fantasme » (p. 136, l. 340-341), écrit la narratrice à la fin du récit. La notion d' « aventure fondatrice », qui peut s'appliquer à d'autres épisodes que celui du bassin aux carpes, permet de préciser le projet, les enjeux de ce récit autobiographique. La notion d'aventure donne forme à ce plaisir de la narration, de la péripétie, de la transfiguration du réel qui peut soudain transformer une situation ordinaire en « scène mythologique » (p. 22, l. 18) : celle du chocolat blanc, des profondeurs de la mer, ou des égouts dans lesquels tombe le père de la narratrice. Cette notion, qui fait du moi un héros, rend explicite le plaisir de la contemplation de soi, qui caractérise d'autres épisodes : celui de la parade censée séduire Kashima-san (p. 57-59), ou même celui, plus paradoxal, des aventures du « tube ». Ce narcissisme n'est-il pas constitutif d'un projet qui, selon une définition du genre autobiographique, « met l'accent sur la vie individuelle » (P. Lejeune, *Le Pacte autobiographique*, 1975) ?

Triompher de la mort est sans doute un autre enjeu de ce récit : plusieurs fois la narratrice est arrachée au néant ; on peut dire qu'elle écrit comme d'outre-tombe. Enfin, ces aventures sont fondatrices car elles fournissent une identité (cf. p. 34, l. 1), modifient ou confirment la présence du moi au monde (cf. p. 65, l. 121), dessillent le regard porté sur celui-ci et provoquent des interrogations qui agitent encore l'auteur au moment de l'écriture. Page 135, l. 327-329, celle-ci écrit à propos de sa « seule tentative de suicide » : « Cela m'était égal, au fond, d'être morte ou vive. Ce n'était que partie remise. Encore aujourd'hui, je suis incapable de trancher. »

POUR COMPRENDRE

Lire

1 Le personnage de Nishio-san apparaît à la page 40 : quelle est la première fonction de cette figure centrale de l'enfance de la narratrice ? Montrez que la relation avec cette gouvernante se crée, se développe, en rapport avec le langage. Comment le corps, les sensations sont-il aussi au cœur de cette relation ?

2 Que diriez-vous des « belles histoires » (p. 49, l. 157) de Nishio-san ? Par quel autre mot la narratrice les désigne-t-elle ? Quel plaisir en tire-t-elle ?

3 Faites les portraits croisés des deux gouvernantes, en partant de l'observation de la narratrice (p. 49, l. 164-165) : « Elle était le contraire de la première. » Relisez les pages de dialogue (p. 50-51, 102-105) et dressez la liste des arguments que chacune avance pour défendre son point de vue sur la famille qui l'emploie. En quoi l'origine sociale de Kashima-san détermine-t-elle ce jugement : « C'est la décadence du Japon. » (p. 105, l. 76-77) ?

4 Page 51, l. 217-218, la narratrice écrit : « Au pays du Soleil-Levant, de la naissance à l'école maternelle non comprise, on est un dieu. » Relevez les motifs qui, dans le comportement et les paroles de Nishio-san, justifient cette analyse. Sur quel champ lexical cette analyse s'appuie-t-elle ? Quelle conséquence cette adulation a-t-elle dans les choix de la petite fille ?

5 Quels sont les traits géographiques et culturels par lesquels le Japon est représenté ? Quelle est la place de la nature dans cette culture ? Montrez le rôle de Nishio-san dans la transmission de ces valeurs. Avec quel membre de sa famille la narratrice partage-t-elle cet amour du Japon ?

6 Quel est l'événement qui fait vaciller les bases de cet amour fondateur ? Quels bouleversements entraîne-t-il dans la cosmogonie (naissance de l'univers) de la narratrice ? En quoi attaque-t-il les racines profondes de son être, de son existence même ? Relevez les métaphores (p. 107-109) qui expriment le désarroi, le désespoir. Quel comparant, auparavant associé à la vie, à la naissance, retrouvons-nous ici associé à la mort ?

7 Quelle incidence inconsciente la peur de la perte du Japon a-t-elle sur l'épisode de la tentative de suicide ? Quel est le rôle de chaque gouvernante dans cette scène ? Commentez cette « conclusion » (p. 128, l. 164) : « Je savais bien qu'on finirait par s'entendre, Kashima-san. »

8 Que peut symboliser la cicatrice qui reste au front de la narratrice ?

Écrire

10 Quel est (ou serait) votre pays « de cœur » ? Justifiez votre réponse par des arguments accompagnés d'exemples, empruntés à votre connaissance vécue ou « documentaire » de ce pays.

11 Vous intéressez-vous à la culture japonaise ? Si oui, à travers quelles arts (littérature, bande dessinée, cinéma) ? Si non, justifiez votre réponse.

Chercher

12 Faites une recherche sur la place de la nature dans les croyances japonaises. Que représente le jardin ?

13 Connaissez-vous d'autres cultures qui font du petit enfant un roi tout-puissant ? Quelle est la situation de l'adolescence au Japon, aujourd'hui ?

POUR COMPRENDRE

À SAVOIR

AMÉLIE NOTHOMB ET LE JAPON

Comme *Stupeur et tremblements* (1999), *Métaphysique des tubes* permet au lecteur d'approcher l'expérience d'une petite enfance vécue au pays du Soleil-Levant. Le père ne fait pas « un travail en rapport avec l'eau » (p. 94, l. 125-126), n'est pas égoutier, comme le pense d'abord sa fille. Il est consul et belge. Le Japon est son premier poste et il vit avec sa famille à Shukugawa, dans la province du Kansai. Amélie a une seconde mère, Nishio-san, à travers laquelle elle construit son identité japonaise. Dans un entretien avec Laureline Amanieux (in *Amélie Nothomb, l'éternelle affamée*, Éditions Albin Michel, 2005), Danièle Nothomb, la mère d'Amélie, raconte : « Elle avait un impact physique sur les gens qui faisait qu'elle recevait beaucoup de compliments. Elle était adulée par les visiteurs et par sa gouvernante. » La petite enfance, au Japon, est comparable au jardin d'Eden dont on est chassé dès que les obligations commencent, c'est-à-dire dès qu'on entre à l'école.

Quant au désir d'être japonaise qui l'a longtemps tenue, au point de vouloir vivre et travailler au Japon, il s'est fracassé sur deux réalités : d'abord, le départ de la famille pour la Chine – séparation annoncée quand sa mère lui crie que le Japon n'est pas son pays (p. 107, l. 150) – et la prise de conscience, racontée par *Stupeur et tremblements*, qu'on peut parfaitement partager les valeurs et la langue des Japonais sans jamais devenir l'un d'entre eux. Amélie a été japonaise le temps d'une enfance. Aujourd'hui, elle dit qu'elle est une « Japonaise ratée »...

Lire

1 De quel *incipit* celui de *Métaphysique des tubes* est-il le pastiche ? Quel ton ce choix stylistique donne-t-il d'emblée au texte ? En quoi le fait d'appeler Dieu « le tube » participe-t-il de ce choix ? À quel discours est emprunté le « nous » (p. 10, l. 41) ? Quels sont les attributs de ce Dieu ? Ses pouvoirs ?

2 À quel moment de l'existence correspond cet état de « tube » ? Expliquez la comparaison de cet état avec celui de « marécage » ou de « coma » (p. 16, l. 109-115, p. 43, l. 17). En quoi le mot « coma » est-il adéquat pour nommer ce que la narratrice dit du temps et du langage, propres au tube ?

3 Relisez les pages 10 à 19 et donnez les définitions explicites et implicites d'un être vivant, selon le narrateur. Utilisez pour répondre la structure « Vivre signifie + verbe à l'infinitif » (cf. p. 18, l. 171).

4 Justifiez l'éloge du plaisir, de la volupté que fait l'auteur. Quel rapport ce dernier entretient-il avec le concept de la conscience de soi (cf. p. 29-33) ? Quel personnage est l'incarnation du refus existentiel de ce plaisir ?

5 La question de la mort structure tout le récit : relevez les moments de narration et d'explication qui la développent. Page 43, l. 20-21 : quel est l'effet créé par la construction transitive du verbe mourir ? Qu'est-ce qui est remarquable dans le rapport que cette enfant entretient avec la mort ?

6 La narratrice dit : « En secret, je lisais la Bible. L'Ancien Testament était incompréhensible mais, dans le nouveau, il y avait des choses qui me parlaient. » (p. 89, l. 3-5). En quoi la figure de Jésus « parle-t-elle » à l'enfant par l'explication que lui livre Hugo ? (p. 65-67) Quel est le verset qui est parodié à la page 126 ?

7 Les références à l'Ancien Testament abondent dans les passages d'analyse qui correspondent au moment de l'écriture. Comment sont utilisées les figures de Job et du jardin d'Eden ? (p. 108-109). Quel thème fondateur de ce récit d'enfance servent-elles ?

8 Quels sont les autres systèmes de pensée, les autres « philosophies » auxquels l'analyse fait appel, notamment dans l'expression de la conscience « des lois les plus effrayantes de l'univers » (p. 122, l. 18-19) ? La narratrice dit-elle qu'elle a obtenu des réponses à ses questions ? De quoi fait-elle le constat ? À quel moment du récit le motif du tube réapparaît-il ?

9 Comment interpréteriez-vous la dernière phrase du texte : « Ensuite, il ne s'est plus rien passé » ?

POUR COMPRENDRE

Écrire

10 Quelles ont été vos premières lectures ? Ont-elles eu un effet sur la construction de votre représentation du monde ?

11 Étiez-vous un enfant qui questionne ? Demandez à vos parents un portrait rétrospectif de vous-même.

Chercher

12 Le personnage d'Eurydice est cité deux fois à la page 44 : lisez dans *Les Métamorphoses* d'Ovide ce récit qui éclairera ce que la narratrice en dit. Lisez aussi le mythe des quatre âges qui ouvre le livre. À quel moment du récit est-il question d'« âge d'or » ?

13 À quel moment du développement de l'enfant place-t-on, traditionnellement, la prise de conscience de la mort ?

14 Quelles sont les deux écoles philosophiques de l'Antiquité qui ont placé au centre de leur questionnement les thèmes de la souffrance, du plaisir et de la mort ?

À SAVOIR

QUE FAUT-IL ENTENDRE PAR LE MOT « MÉTAPHYSIQUE » ?

Après avoir été un bébé-Dieu, la narratrice dit qu'elle est devenue une enfant « sage et éveillée, [...] enthousiaste et métaphysique » (p. 34). Quel sens donner au mot « métaphysique » ? Sans doute – et le texte en est la trace – fut-elle une enfant habitée par un questionnement précoce sur les causes du monde, de l'existence humaine ; habitée aussi par le sentiment que la raison ne peut pas tout expliquer, et que demeure une part de mystère à notre présence au monde. Dans *Le Discours sur l'esprit positif*, publié en 1844, le philosophe Auguste Comte énonce la loi des trois états. Pour lui, l'histoire de l'humanité, comme celle de l'individu, passe par trois phases : théologique, métaphysique et positive. Le stade métaphysique est transitoire : il conserve de l'état théologique le désir de découvrir les causes absolues du monde, mais il est une anticipation de l'état positif qui a le souci fondamental de l'argumentation rationnelle. *Métaphysique des tubes* est l'illustration de cet état transitoire du moi de la narratrice, qui de zéro à trois ans, passe d'un rapport magique au monde – elle a tout pouvoir sur lui – à un désenchantement et à une interrogation angoissée, « métaphysique » sur l'existence.

POUR COMPRENDRE

Lire

1 Qu'est-ce que le tube n'a pas, à la différence des autres bébés, à leur naissance (p. 12 à 19) ? Par quelle manifestation l'enfant signale-t-il qu'il est enfin vivant ?

2 Quelle interprétation la narratrice donne-t-elle de la colère, en opposition à celle donnée par la mère (p. 25) ? Dans quel registre de langue exprime-t-elle « le sens de ses cris » (p. 25, l. 93) ?

3 « N'était-ce pas l'une des principales prérogatives divines que de nommer l'univers ? » (p. 25, l. 85-86). Dans le récit de la Genèse (p. 9-11), qui a la charge de désigner les êtres vivants ? Ici, quel autre pouvoir le fait de nommer donne-t-il ?

4 Que diriez-vous du verbe « voiser » (p. 37, l. 78) ? Quelle langue concerne-t-il ? Reprenez la liste des six premiers mots prononcés : qu'en diriez-vous ?

5 Relisez les pages 39 à 42 et rappelez les trois fonctions du langage proposées par la narratrice, à ce moment du récit. De quelle nature est la fonction évoquée (p. 55-56, l. 68-69) par l'emploi de l'impératif ?

6 Combien de pages sont consacrées à l'évocation du jardin ? Quelles sont les différentes fonctions des passages descriptifs ? Montrez que ce jardin est un espace d'exercice des pouvoirs du langage. Étudiez le champ lexical du sacré.

7 La narratrice dit : « C'était peut-être cela, l'aveu que l'on voulait obtenir de moi : que je parle la langue de mes parents. » (p. 63, l. 81-82). Quelle est la première langue dont celle-ci manifeste la connaissance ? Pour quelle raison ?

8 Quelles sont les limites du langage dans la prise de conscience de la finitude des choses et de l'existence (cf. page 126) ? Comment comprenez-vous cette image : « Champollion d'un chaos grandissant » (p. 124, l. 63) ?

9 Quelle relation établiriez-vous entre ce que l'auteur dit du langage dans ce récit et son désir d'écrire ? Ce texte peut-il suggérer au lecteur la naissance d'une vocation ?

Écrire

10 Pensez-vous, comme la narratrice, que « parler est un acte aussi créateur que destructeur » ? (cf. p. 41, l. 191) En avez-vous fait l'expérience ? Dans quelles circonstances et avec quelles conséquences sur votre rapport à l'autre ?

Chercher

11 Comment s'appelle le roman de Boris Vian, dans lequel il crée de nombreux néologismes pour nommer des réalités qu'il a inventées ?

12 Faites une recherche sur les caractéristiques de la langue japonaise.

13 Que raconte l'épisode biblique de la tour de Babel ? Quel lien établit-il entre l'enfance de l'humanité et la naissance des langues ?

POUR COMPRENDRE

À SAVOIR

LES SIX FONCTIONS DU LANGAGE SELON R. JAKOBSON

René Jakobson est un linguiste, c'est-à-dire que son objet d'étude est le fonctionnement du langage. Entre 1963 et 1973, il publie les *Essais de linguistique générale*. Il établit six fonctions du langage :

— la fonction émotive permet l'expression directe de ce que l'émetteur ressent à l'égard de ce dont on parle (cf. p. 107, l. 151 : « C'est mon pays ! Je meurs si je pars ! »).

— la fonction impressive a la volonté d'agir sur le destinataire du message, par l'emploi des tournures grammaticales injonctives (cf. p. 106, l. 108 et 116 : « Ne pars pas ! Je t'en supplie ! » ; « Nishio-san doit rester avec moi ! »).

— la fonction référentielle transmet une information sur une situation.

— La fonction phatique s'assure que le message a bien été reçu, que la communication s'est établie.

— la fonction métalinguistique est celle par laquelle le langage se questionne lui-même.

— la fonction poétique – à la différence de la fonction référentielle – intervient quand le signifiant (le rythme, les sons, les images produits par le langage) est aussi important, voire plus important que le signifié (le contenu du message). Elle est à l'œuvre dans tous les textes littéraires, notamment en poésie.

POUR COMPRENDRE

Lire

1 La narratrice écrit à propos de sa période « tube » (p. 19, l. 186-187) : « C'était seulement un lavabo auquel manquait le bouchon. » Relevez d'autres occurrences de l'autodérision dans le texte. Quelle figure de style en est le support ?

2 Comment la sacralisation du moi se construit-elle dans la première moitié du récit ? Qui sont les adorateurs de cette divinité ? En quel lieu le culte se célèbre-t-il ? Quel personnage se refuse à le pratiquer ?

3 Quel effet l'autodérision a-t-elle sur ce manifeste de la superbe du moi ? (p. 59, l. 145). Relevez d'autres expressions de la distanciation : figures de style, vocabulaire dépréciatif, modalisateurs comme « Tu parles » (p. 119, l. 191).

4 Montrez que l'épanouissement du moi est évoqué avec un ton jubilatoire (par exemple, pages 69 à 71). Trouvez, dans ce passage, le champ lexical qui donne au texte son ton hyperbolique, emphatique.

5 Quels sont les épisodes où le moi est mis en scène ? Quels sont les procédés dramatiques utilisés ?

6 En quoi l'épisode des carpes peut-il être lu comme la représentation fantasmatique des métamorphoses que la petite fille sent en elle (cf. notamment pages 120-121) ? En quoi *Métaphysique des tubes* se rapproche-t-il parfois des récits initiatiques ?

7 Relevez les nombreuses correspondances entre le moi et l'eau, élément à propos duquel la narratrice parle « d'interminables noces » (p. 98, l. 243). Quelle est la symbolique de cet élément, ici ?

8 Comment l'auteur donne-t-il à l'épisode des carpes une dimension fantastique ? En quoi la narratrice se représente-t-elle alors comme un sujet fasciné par ce phénomène ?

9 Que pensez-vous de cette remarque (p. 119, l. 181-182) : « Dis-moi ce qui te dégoûte et je te dirai qui tu es » ?

Écrire

10 À partir de l'association que la narratrice fait entre elle et l'eau, écrivez le portrait chinois de celle-ci, en utilisant cette construction : « Si c'était... ce serait... »

11 Écrivez votre portrait physique et psychologique en adoptant le même ton d'autodérision que la narratrice.

Chercher

12 Trouvez d'autres textes de nature autobiographique où le moi de l'enfant est en majesté. À l'opposé, donnez au moins deux titres où l'enfant est une figure souffrante.

13 Cherchez l'étymologie du mot « poétique ». En quoi peut-on en effet parler à propos de ce récit de « poétique du moi » ?

QUELQUES FIGURES DE STYLE

La figure de style préférée d'Amélie Nothomb reste la périphrase. Selon Pierre Fontanier, auteur du *Traité général et complet des figures du discours* (1821-1830), « la périphrase consiste à exprimer d'une manière détournée, étendue et ordinairement fastueuse, une pensée qui pourrait être rendue d'une manière directe et en même temps plus simple et plus courte ». Cette figure fait partie des procédés utilisés par l'auteur pour créer cette distanciation propre à son style. Elle se définit comme « l'indiscutable gemme de la planète » (p. 58, l. 117-118) ; elle définit l'averse comme « la sublime douche perpendiculaire » (p. 97, l. 210) ou le jardin comme « l'aire géographique de la croyance en moi » (p. 55, l. 55).

La métaphore filée est récurrente. Une métaphore est filée, si elle est développée sur plusieurs phrases, voire sur plusieurs pages, comme celle qui associe l'enfant à un monstre, à un démon (pages 28 à 32) ou celle qui associe le cerveau à une huître (p. 20, l. 219-225).

L'hyperbole, qui consiste à utiliser des termes ou des images qui visent à exagérer, est présente dans tout le texte, comme celle qui compare la naissance par le hurlement à une « scène mythologique » (p. 22, l. 18).

Lire

1 En quoi le projet d'évoquer l'enfance de zéro à trois ans soulève-t-il le problème des limites de la mémoire, du souvenir (cf. p. 34, l. 5-8) ? En quoi ce projet autobiographique est-il remarquable ?

2 Selon vous, quelle place l'auteur accorde-t-elle, dans ce récit, au pacte d'authenticité, à la sincérité ? Dans sa critique de *Métaphysique des tubes* (*Le Monde des Livres*, 9 janvier 2000), l'écrivain Hugo Marsan parle de « mensonges que l'on avale avec délices ». Seriez-vous d'accord avec cette analyse ? Justifiez votre réponse à l'aide de deux arguments, au moins.

3 Commentez cette phrase (p. 34, l. 14-17) : « Avant le chocolat blanc, je ne me souviens de rien : je dois me fier au témoignage de mes proches, réinterprété par mes soins. Après, mes informations sont de première main : la main même qui écrit. » En quoi l'emploi du verbe « réinterpréter » permet-il de parler d'autofiction à propos de ce texte ?

4 Page 51, l. 217-218, la narratrice écrit : « Au pays du Soleil-Levant, de la naissance à l'école maternelle non comprise, on est un dieu. » En quoi cette phrase peut-elle conduire à une relecture des premières pages du récit ?

5 Ce récit est d'abord écrit à la troisième personne du singulier. Connaissez-vous d'autres textes autobiographiques écrits à une autre personne que la première du singulier ? À quel moment du récit la narratrice sent-elle que la troisième personne reprend peu à peu possession du « je » qui lui a servi pendant six mois ? À quel état se sent-elle ramenée ?

6 En quoi la cicatrice que la narratrice dit garder à la tempe peut-elle être une métaphore de l'écriture de ce récit autobiographique (cf. l'emploi du mot « éloquence », page 136, l. 343) ?

Écrire

7 Dans *Pantagruel* (1532), Tiers Livre, chapitre LI, François Rabelais (1494-1553 ou 1554) écrit l'éloge paradoxal d'une plante aux effets admirables appelée « pantagruélion » (il s'agit du chanvre). De même, Amélie Nothomb écrit un surprenant éloge : celui du chocolat blanc. À votre tour, écrivez l'éloge d'un produit alimentaire, sur le même mode humoristique que celui utilisé par la narratrice.

8 Gardez-vous, sur votre corps, la marque d'une « aventure fondatrice » ? Évoquez les circonstances dans lesquelles vous l'avez reçue.

Chercher

9 Quels sont les psychiatres, les psychanalystes qui ont travaillé sur cet état de l'enfant-roi, de l'enfant-dieu ?

10 Comment nomme-t-on la pathologie d'un sujet qui a tendance à la fabulation, c'est-à-dire à l'invention d'un moi totalement imaginaire ?

À SAVOIR

LE PACTE AUTOBIOGRAPHIQUE

Cette expression désigne les critères choisis par l'auteur pour évoquer sa vie et se faire connaître : quelle représentation de soi, quel registre, quel ton, quelle relation va-t-il proposer au lecteur ? De nombreuses autobiographies présentent explicitement ces choix et livrent, dès les premières lignes, les clefs pour entrer dans l'intérieur du sujet qui s'apprête à se dévoiler. Elles sont autant de règles suggérées plus qu'imposées.

Peut-on, pour chaque auteur, parler vraiment de sincérité ? Il s'agit plutôt d'établir une relation de confiance avec le lecteur, mais aussi de jeu : je vais te raconter ma vie ; accueille ce récit et ne remets pas son existence en cause en doutant fondamentalement de ce qui est dit... et laisse-moi la possibilité même de mentir, pour ton plaisir de lecteur qui aime qu'on « lui raconte des histoires » !

En racontant son existence de zéro à trois ans, Amélie Nothomb se place d'emblée dans cette position : il est évident que le récit de cette partie de sa vie ne peut qu'être reconstruit, soit par le témoignage des parents, de l'entourage, soit par le recours à une fiction qui a pour fonction de rendre au mieux l'idée qu'elle s'en fait. Donc, ne pourrait-on pas intégrer à cette notion de pacte autobiographique celle du mentir-vrai ?

POUR COMPRENDRE

Lire

1 Amélie Nothomb nous apprend que Slawomir Mrozek « a écrit sur les tuyaux des propos dont on ne sait s'ils sont confondants de profondeur ou superbement désopilants. Peut-être sont-ils tous cela à la fois. » (p. 10, l. 43 à 45) En quoi peut-on appliquer ce jugement à *Métaphysique des tubes* ?

2 Montrez que le désir de « nommer l'univers » (p. 25, l. 86) est la volonté première de l'enfant et qu'il est suivi par celui d'en représenter la beauté. En quoi la fonction poétique du langage est-elle essentielle dans ce texte (cf. p. 39-40) ?

3 Relisez la page 69 : après avoir nommé le monde, à quelle autre tâche la narratrice s'attelle-t-elle avec plaisir ?

4 À quel moment le désir d'apprendre à lire s'impose-t-il ? À quoi est-il une réponse ? Quels textes servent de support à ce désir ? Qu'est-ce qui est étonnant dans ces choix ?

5 La narratrice constate (p. 41, l. 190-192) : « L'examen de l'édifiant langage d'autrui m'amena à cette conclusion : parler était un acte aussi créateur que destructeur. Il valait mieux faire très attention avec cette invention. » En quoi cette observation peut-elle servir la naissance d'une vocation d'écrivain ?

6 Relisez la page 111 : quels sont les pouvoirs que la narratrice donne à l'écriture ? Quelle perte peut-elle combler ? Relevez l'anaphore qui souligne cette explication.

7 Qu'est-ce que cette enfance a de romanesque ? En quoi l'épisode des carpes en est-il l'illustration ?

8 Quelle fonction l'invention a-t-elle dans la naissance de cette vocation (cf. le dialogue avec la sœur, p. 100-101) ?

9 Quel est donc l'un des enjeux fondamentaux de ce récit de haute enfance ? Quels peuvent être les autres enjeux d'un récit d'enfance ?

Écrire

10 Y a-t-il un épisode de votre enfance que vous aimeriez raconter à vos propres enfants ? Pourquoi ? Que représente-t-il dans votre formation ?

11 Quels sont les textes qui ont marqué l'enfance de votre vie de lecteur ? Pourquoi vous ont-ils marqué ?

Chercher

12 Replacez *Métaphysique des tubes* dans la bibliographie de l'écrivain. Que remarquez-vous ?

13 Quel est le texte autobiographique de Jean-Paul Sartre dans lequel il évoque une enfance elle aussi étroitement mêlée au langage, à la lecture et à l'écriture ?

LA NAISSANCE D'UNE VOCATION ?

En 1999, paraît *Stupeur et tremblements*, qui est le récit rétrospectif de l'échec vécu par l'auteur au sein d'une entreprise japonaise, alors que son désir profond est de vivre dans le pays de sa naissance. En voici l'épilogue :

« Je quittai l'immeuble Yumimoto. On ne m'y revit jamais.

Quelques jours plus tard, je retournai en Europe.

Le 14 janvier 1991, je commençai à écrire un manuscrit dont le titre était *Hygiène de l'assassin*. [...]

En 1992, mon premier roman fut publié. »

Il y a donc une relation entre le renoncement à l'identité japonaise rêvée et la naissance à l'identité d'écrivain. Mais l'existence par les mots est bien antérieure ; quelques clefs sont données par *Métaphysique des tubes*, mais aussi par les entretiens que l'auteur a pu accorder. On y apprend qu'elle se considère depuis longtemps atteinte de « graphomanie », qu'elle a écrit pour elle-même depuis l'adolescence et que la rédaction de chaque manuscrit est vécue comme une « grossesse ». Elle écrit chaque jour entre quatre heures et huit heures du matin selon un rituel qu'elle décrit en ces termes : « Je suis dans une transe intellectuelle, une jouissance mentale totale [...]. Écrire est ma première nécessité. C'est mon hygiène. » (Interview accordée à *Campus*, magazine trimestriel de l'université de Genève, n° 49, novembre 2000-janvier 2001, citée par Laureline Amanieux in *Amélie Nothomb, l'éternelle affamée*, p. 251, Éditions Albin Michel, 2005.)

GROUPEMENTS DE TEXTES

JARDINS DE L'ENFANCE

« Quand Dieu a besoin d'un lieu pour symboliser le bonheur terrestre, il n'opte ni pour l'île déserte, ni pour la plage de sable fin, ni pour le champ de blé mûr, ni pour l'alpage verdoyant : il élit le jardin. » (*Métaphysique des tubes*, p. 55, l. 59-62.) Cette phrase, qui associe les thèmes du jardin, du bonheur et de l'enfance, rappelle que le retour vers la source renvoie, certes, à l'enfance de notre histoire individuelle, mais aussi à l'enfance de la terre et de l'homme. Rechercher nos origines, c'est souvent essayer de retrouver un paradis perdu, dont nos souvenirs gardent la trace et la mythologie.

Chacun des quatre textes qui suivent décline ces thèmes, et les inscrit au cœur de leur relation avec le langage. Si le jardin est le lieu privilégié du souvenir d'un âge d'or du moi ou de l'humanité, ce sont les mots, leur poésie, qui permettent de le faire revivre. L'enjeu, c'est d'oublier, le temps de l'écriture, que nous avons été chassés de l'Eden ; c'est de faire renaître, sur la page, le jardin dont Amélie Nothomb écrit : « Une portion de terrain plantée de fleurs et d'arbres et entouré d'une enceinte : on n'a rien inventé de mieux pour réconcilier avec l'univers. » (p. 55, l. 47-50.)

La Bible, Ancien Testament, Genèse 2, 4b-9 et 15-17

Texte biblique extrait de la Traduction Œcuménique de la Bible © Société biblique française – Éditions du Cerf 1988, 2004.

Jardin de l'enfance

Ce texte rappelle qu'il y a simultanéité entre la création de la terre, de l'homme et du jardin. L'homme (en hébreu *âdam*) est tiré du sol (en hébreu *âdama*) et Dieu l'installe en Eden, dans un jardin spécialement créé pour lui. Le mot *Eden* désigne, en hébreu, une région non identifiée, et a un homonyme qui signifie *jouissance*. Comme dans *Métaphysique des tubes*, cette jouissance est celle due à la beauté et au plaisir de manger. Mais pas de n'importe quel arbre…

Le jour où le Seigneur Dieu fit la terre et le ciel, il n'y avait encore sur la terre aucun arbuste des champs, et aucune herbe des champs n'avait encore germé, car le Seigneur Dieu n'avait par fait pleuvoir sur la terre et il n'y avait pas d'homme pour cultiver le sol ; mais un flux montait de la terre et irriguait toute la surface du sol. Le Seigneur Dieu modela l'homme avec de la poussière prise du sol. Il insuffla dans ses narines l'haleine de vie, et l'homme devint un être vivant. Le Seigneur Dieu planta un jardin en Eden, à l'orient, et il y plaça l'homme qu'il avait formé. Le Seigneur Dieu fit germer du sol tout arbre d'aspect attrayant et bon à manger, l'arbre de vie au milieu du jardin et l'arbre de la connaissance de ce qui est bon ou mauvais. […]

Le Seigneur Dieu prit l'homme et l'établit dans le jardin d'Eden pour cultiver le sol et le garder. Le Seigneur Dieu prescrivit à l'homme : « Tu pourras manger de tout arbre du jardin, mais tu ne mangeras pas de l'arbre de la connaissance de ce qui est bon ou mauvais car, du jour où tu en mangeras, tu devras mourir. »

Nathalie Sarraute (1900-1999)

Enfance © Éditions Gallimard, 1983.

Ce récit, qui prend la forme d'un dialogue entre la narratrice et elle-même, évoque une période qui va de la petite enfance à l'entrée au lycée. Dans ce chapitre d'*Enfance*, la narratrice fait revivre un jardin mythique pour elle – le jardin du Luxembourg, dans le cinquième arrondissement de Paris –, lieu mythique parce qu'il accueille les promenades qu'elle fait avec son père, alors qu'elle vit encore la plupart de son temps avec sa mère en Russie.

Ce texte dit l'éblouissement de la vie, soudain ressenti par la petite fille, mais aussi le trouble, la difficulté éprouvés au moment de l'écriture du souvenir. Peut-être parce que « jamais plus cette sorte d'intensité-là »…

Pourquoi vouloir faire revivre cela, sans mots qui puissent parvenir à capter, à retenir ne serait-ce qu'encore quelques instants de ce qui m'est arrivé… comme viennent aux petites bergères les visions célestes… mais ici aucune sainte apparition, pas de pieuse enfant…

J'étais assise, encore au Luxembourg, sur un banc du jardin anglais, entre mon père et la jeune femme qui m'avait fait danser dans la grande chambre claire de la rue Boissonade. Il y avait, posé sur le banc entre nous ou sur les genoux de l'un d'eux, un gros livre relié… il me semble que c'étaient les *Contes* d'Andersen.

Je venais d'en écouter un passage… je regardais les espaliers en fleurs le long du petit mur de briques roses, les arbres fleuris, la pelouse d'un vert étincelant jonchée de pâquerettes, de pétales blancs et roses, le ciel, bien sûr, était bleu, et l'air semblait vibrer légèrement… et à ce moment-là, c'est venu… quelque chose d'unique… qui ne reviendra plus jamais de cette façon, une sensation d'une telle violence qu'encore maintenant, après tant de temps écoulé, quand, amoindrie, en partie effacée elle me revient, j'éprouve… mais quoi? quel mot peut s'en saisir? pas le mot à tout dire : « bonheur », qui se présente le premier, non, pas lui… « félicité », « exaltation », sont trop laids, qu'ils n'y touchent pas… et « extase »… comme devant ce mot ce qui est là se rétracte… « Joie », oui, peut-être… ce petit mot modeste, tout simple, peut effleurer sans grand danger… mais il n'est pas capable de recueillir ce qui m'emplit, me déborde, s'épand, va se perdre, se fondre dans les briques roses, les espaliers en fleurs, la pelouse, les pétales roses et blancs, l'air qui vibre parcouru de tremblements à peine perceptibles, d'ondes… des ondes de vie, de vie tout court, quel autre mot?… de vie à l'état pur, aucune menace sur elle, aucun mélange, elle atteint tout à coup l'intensité la plus grande qu'elle puisse jamais atteindre… jamais plus cette sorte d'intensité-là, pour rien, parce que c'est là, parce que je suis dans cela, dans le petit mur rose, les fleurs des espaliers, des arbres, la pelouse, l'air qui vibre… je suis en eux sans rien de plus, rien qui ne soit à eux, rien qui ne soit à moi.

Amos Oz (né en 1939)

Une Histoire d'amour et de ténèbres, traduit par Sylvie Cohen © Éditions Gallimard, 2004.

Amos Oz est né à Jérusalem. Dans *Une histoire d'amour et de ténèbres*, il raconte une enfance intense, pleine de clairs-obscurs, entre les récits d'ailleurs de sa mère et le savoir encyclopédique de son père, « bavard impénitent ». La famille vit dans le quartier de Keren Avraham, un ancien verger qui a laissé place aux constructions, creusées dans le roc, à flanc de colline. « Le jar-

Jardin de l'enfance

din n'était pas un vrai jardin, mais un modeste rectangle de terre battue, dure comme du béton », constate le narrateur. Et quand des amis de ses parents offrent au petit garçon trois sachets remplis de graines, il suit son père dans le projet de créer un potager. Se développe alors le récit d'un vrai travail de création, téméraire et têtu, dans lequel peut s'épanouir le souvenir amusé et lumineux de moments privilégiés partagés avec le père.

Quand maman vint nous prévenir que le déjeuner serait prêt dans une demi-heure, l'opération conquête du désert était terminée : entre ses quatre piquets et ses quatre cordes, notre nouveau jardin était environné de tous côtés par la terre aride de la cour dont il se démarquait par sa couleur marron foncé et son sol soigneusement ameubli. Joliment ratissé – on l'aurait dit démêlé au peigne –, sarclé, ensemencé, fertilisé et arrosé, notre petit verger était subdivisé en trois vagues ou buttes d'égale longueur, l'une destinée aux tomates, la deuxième aux concombres et la troisième aux radis. Et, à l'image des écriteaux nominatifs que l'on plante provisoirement sur les tombes avant de les recouvrir d'une dalle funéraire, nous avions piqué, à l'extrémité de chaque rangée, un bâtonnet coiffé d'un sachet de semences vide. De sorte que, pour le moment, au moins le temps que poussent les légumes, nous avions un parterre d'images en couleur : le dessin plus vrai que nature d'une tomate rouge vif, les joues dégoulinantes de gouttelettes de rosée transparente, la reproduction de concombres d'un vert rafraîchissant, et l'illustration appétissante d'une botte de radis, lavés et éclatants de santé, dans un éblouissant feu d'artifice de rouge, de blanc et de vert.

Une fois la terre amendée et ensemencée, nous avions délicatement et généreusement arrosé chacun des monticules fécondés avec un arrosoir improvisé, fabriqué à l'aide d'une bouteille d'eau et de la petite passoire de la cuisine qui, fichée dans le bec de la théière, servait à filtrer le thé dans le civil.

« Désormais donc, dit papa, tous les matins et tous les soirs nous arroserons nos plates-bandes, il ne faudra ni trop le faire ni pas assez, et chaque matin, sans faute, au saut du lit, tu iras vérifier si l'on voit les premiers signes de germination, car dans quelques jours de minuscules tiges commenceront à poindre et à agiter la tête pour faire tomber sa casquette. Chaque plante, disent nos sages, a au-dessus d'elle son ange gardien qui lui ordonne en la frappant sur la tête : « Pousse ! » Et d'ajouter :

« Maintenant, Son Excellence transpirante et sale voudra bien attraper des sous-vêtements, une chemise et un pantalon propres dans l'armoire et prendre un bain, et Sa Grandeur n'oubliera pas de se savonner soigneusement, là où tu sais surtout. Et tâche de ne pas t'endormir dans la baignoire, comme d'habitude, parce que ton humble serviteur attend patiemment son tour. »

Alexis Saint-Leger Leger, dit Saint-John Perse (1887-1975)

« Pour fêter une enfance, V » in *Éloges* © Editions Gallimard.

Le poète a passé les premières années de sa vie dans un îlot situé face à Pointe-à-Pitre (Guadeloupe), où sa famille possédait une plantation. *Éloges*, ensemble de trois poèmes auquel appartient « Pour fêter une enfance », est l'expression vibrante du souvenir des Antilles, perdues en 1899, quand la famille du jeune Alexis décide de s'établir en métropole. Ces vers lyriques parlent d'un souvenir fait d'impressions, de sensations, sublimées par la célébration. Le jardin est ici source d'abondance – abondance de parfums, de bruits et de beauté.

… Ô ! j'ai lieu de louer !
Mon front sous des mains jaunes,

Jardin de l'enfance

mon front, te souvient-il des nocturnes sueurs ?
du minuit vain de fièvre et d'un goût de citerne ?
et des fleurs d'aube bleue à danser sur les criques du matin
et de l'heure midi plus sonore qu'un moustique, et des flèches lancées
par la mer de couleurs… ?
Ô j'ai lieu ! ô j'ai lieu de louer !
Il y avait à quai de hauts navires à musique. Il y avait des promontoires de campêche ; des fruits de bois qui éclataient… Mais qu'a-t-on fait des hauts navires à musique qu'il y avait à quai ?
Palmes… ! Alors
une mer plus crédule et hantée d'invisibles départs,
étagée comme un ciel au-dessus des vergers,
se gorgeait de fruits d'or, de poissons violets et d'oiseaux.
Alors, des parfums plus affables, frayant aux cimes les plus fastes,
ébruitaient ce souffle d'un autre âge,
et par le seul artifice du cannelier au jardin de mon père – ô feintes !
glorieux d'écaille et d'armures un monde trouble délirait.
(… Ô j'ai lieu de louer ! Ô fable généreuse, ô table d'abondance !)

INTERVIEW EXCLUSIVE

Pour la collection « Classiques & Contemporains », *Amélie Nothomb a accepté de répondre aux questions de Josiane Grinfas, professeur de Lettres et auteur du présent appareil pédagogique.*

Josiane Grinfas : Quelle place accordez-vous à l'imaginaire, à la fiction, dans le récit de soi ? La notion de « sincérité » vous semble-t-elle essentielle ?

Amélie Nothomb : La notion de sincérité me semble essentielle dans le récit de soi. S'agissant de souvenirs qui précèdent l'âge de 3 ans, il est difficile voire impossible de savoir s'ils appartiennent à l'imaginaire ou au réel. Mais somme toute, ce qu'on a vécu dans son imagination, on l'a vécu. Quant à la fiction, elle est tout entière contenue dans le langage. Le langage est une fiction.

J. G. : Ce livre ne pourrait-il pas être aussi intitulé *Amélie au pays des merveilles* ? Le récit d'enfance, pour vous, c'est le récit d'une aventure extraordinaire ?

A. N. : Oui, *Amélie au pays des merveilles* ! En effet, tout récit d'enfance est le récit d'une aventure extraordinaire.

J. G. : Où en êtes-vous de ce désir d'être japonaise ? Vous tient-il toujours ?

A. N. : Suite à ce que je raconte dans mon livre *Stupeur et tremblements*, j'ai fini par comprendre que je n'étais pas japonaise et que je ne le deviendrais pas. Donc, je me considère comme une Japonaise ratée. C'est une identité qui me convient.

J. G. : Pour vous, aujourd'hui, qu'est-ce qui fait qu'un être – enfant ou adulte – est vivant ?
A. N. : Ce qui fait qu'un être est vivant, c'est qu'il choisit. Être vivant, c'est être toujours en situation de choisir.

J. G. : Nommer le monde, l'écrire, c'est toujours le dominer, comme dans *Métaphysique des tubes* ?
A. N. : C'est beaucoup plus fort que cela : nommer le monde, c'est lui donner sa réalité. C'est le rendre réel.

J. G. : Quelles sont, pour vous, les plus belles pages écrites sur ces thèmes croisés de l'enfance et du paradis perdu ?
A. N. : Difficile question. Mais il faut choisir ! De Henry James, le roman *Ce que savait Maisie*.

INTERVIEW EXCLUSIVE

1) La notion de sincérité me semble essentielle dans le récit de soi. S'agissant de souvenirs qui précèdent l'âge de 3 ans, il est difficile voire impossible de savoir s'ils appartiennent à l'imaginaire ou au réel. Mais somme toute, ce qu'on a vécu dans son imagination, on l'a vécu. Quant à la fiction, elle est tout entière contenue dans le langage. Le langage est une fiction.

2) Oui, Alice au pays des merveilles ! En effet, tout récit d'enfance est le récit d'une aventure extraordinaire.

3) Suite à ce que je raconte dans mon livre Stupeur et tremblements, j'ai fini par comprendre que je n'étais pas japonaise et que je ne le deviendrais pas. Donc, je me considère comme une japonaise ratée. C'est une identité qui me convient.

4) Ce qui fait qu'un être est vivant, c'est qu'il choisit. Être vivant, c'est être toujours en situation de choisir.

5) C'est beaucoup plus fort que cela : nommer le monde, c'est lui donner sa réalité, c'est le rendre réel.

6) Difficile question. Mais il faut choisir ! De Henry James, le roman Ce que savait Maisie (ou Maisy, vérifiez l'orthographe).

BIBLIOGRAPHIE

• **Œuvres d'Amélie Nothomb**

Elles sont publiées aux Éditions Albin Michel et au Livre de poche.

– *Hygiène de l'assassin*, 1992.
– *Le Sabotage amoureux*, 1993.
– *Les Comsbustibles*, 1994.
– *Les Catilinaires*, 1995.
– *Péplum*, 1996.
– *Attentat*, 1997.
– *Mercure*, 1998.
– *Stupeurs et tremblements*, 1999.
– *Métaphysiques des tubes*, 2000.
– *Cosmétique de l'ennemi*, 2001.
– *Robert des noms propres*, 2002.
– *Antéchrista*, 2003.
– *Biographie de la faim*, 2004.
– *Acide sulfurique*, 2005.
– *Journal d'Hirondelle*, 2006.
– *Ni d'Ève, ni d'Adam*, 2007.
– *Le Fait du prince*, 2008.
– *Le Voyageur d'hiver*, 2009.

• **Au sujet d'Amélie Nothomb**

Laureline Amanieux, *Amélie Nothomb, l'éternelle affamée,* éditions Albin Michel, 2005.

• **Autres récits autobiographiques d'enfance**

– Simone de Beauvoir, *Mémoires d'une jeune fille rangée*, Éditions Gallimard, collection « Folio », 1958.
– Albert Cohen, *Le livre de ma mère*, Éditions Gallimard, collection « Folio », 1974.
– Colette, *La maison de Claudine*, Librairie générale française, collection « Livre de Poche », 1978.
– Roald Dahl, *Moi, Boy*, Éditions Gallimard, collection « Folio Junior », 1987.
– Amos Oz, *Une histoire d'amour et de ténèbres,* Éditions Gallimard, collection « Folio », 2005.
– Jean-Paul Sartre, *Les Mots*, Éditions Gallimard, collection « Folio », 1964.

• Sur le Japon

Collectif, *Japon*, Éditions Casterman, 2005 : dix-sept auteurs français et japonais de bande dessinée proposent leur regard sur ce pays.

Nelly Delay, *Le Japon éternel*, Éditions Gallimard, collection « Découvertes », 1998.

INTERNET

– www. lejapon. fr

– On peut lire un « portrait japonais » d'Amélie Nothomb sur le site : http ://www.dijonscope.com/002518-portrait-japonais-d-un-auteur-a-succes-amelie-nothomb

En tapant « Shukugawa » et « arboretum du Futatabi », on trouve des sites qui proposent des vues de ces deux sites.

VISITES

Maison de la culture du Japon à Paris, 101 bis quai-Branly, 75015 Paris.
Tél. : 01 44 37 95 01

Classiques & Contemporains

SÉRIE « LES GRANDS CONTEMPORAINS PRÉSENTENT »

D. Daeninckx présente *21 récits policiers*
L. Gaudé présente *13 extraits de tragédies*
A. Nothomb présente *20 récits de soi*
K. Pancol présente *21 textes sur le sentiment amoureux*
É.-E. Schmitt présente *13 récits d'enfance et d'adolescence*
B. Werber présente *20 récits d'anticipation et de science-fiction*

Nothomb, *Métaphysique des tubes*
Nothomb, *Péplum*
Nothomb, *Le Sabotage amoureux*
Nothomb, *Stupeur et Tremblements*
Pergaud, *La Guerre des boutons*
Perrault, Mme d'Aulnoy, etc., *Contes merveilleux*
Petan, *Le Procès du loup*
Poe, Gautier, Maupassant, Gogol, *Nouvelles fantastiques*
Pons, *Délicieuses frayeurs*
Pouchkine, *La Dame de pique*
Reboux et Muller, *À la manière de...*
Renard, *Huit jours à la campagne*
Renard, *Poil de Carotte* (comédie en un acte), suivi de *La Bigote* (comédie en deux actes)
Reza, *« Art »*
Reza, *Le Dieu du carnage*
Reza, *Trois versions de la vie*
Ribes, *Trois pièces facétieuses*
Riel, *La Vierge froide et autres racontars*
Rouquette, *Médée*
Sand, *Marianne*
Schmitt, *Crime parfait et Les Mauvaises Lectures – Deux nouvelles à chute*
Schmitt, *L'Enfant de Noé*
Schmitt, *Hôtel des deux mondes*
Schmitt, *Le Joueur d'échecs*
Schmitt, *Milarepa*
Schmitt, *Monsieur Ibrahim et les fleurs du Coran*
Schmitt, *La Nuit de Valognes*
Schmitt, *Oscar et la dame rose*
Schmitt, *Ulysse from Bagdad*
Schmitt, *Vingt-quatre heures de la vie d'une femme*
Schmitt, *Le Visiteur*
Sévigné, Diderot, Voltaire, Sand, *Lettres choisies*
Signol, *La Grande Île*
Stendhal, *Vanina Vanini*
Stevenson, *Le Cas étrange du Dr Jekyll et de M. Hyde*
Twain, *Les Aventures de Tom Sawyer*
Uhlman, *La Lettre de Conrad*
Vargas, *Debout les morts*
Vargas, *L'Homme à l'envers*
Vargas, *L'Homme aux cercles bleus*
Vargas, *Pars vite et reviens tard*
Vargas, *Sous les vents de Neptune*
Vercel, *Capitaine Conan*
Vercors, *Le Silence de la mer*
Vercors, *Zoo ou l'assassin philanthrope*
Voltaire, *L'Ingénu*
Wells, *La Machine à explorer le temps*
Werth, *33 Jours*
Wilde, *Le Crime de Lord Arthur Savile*
Zola, *Thérèse Raquin*
Zweig, *Le Joueur d'échecs*
Zweig, *Lettre d'une inconnue*
Zweig, *Vingt-quatre heures de la vie d'une femme*

Recueils et anonymes

90 poèmes classiques et contemporains
Les Aventures extraordinaires d'Adèle Blanc-Sec
Ceci n'est pas un conte et autres contes excentriques du XVIIIe siècle
Ces objets qui nous envahissent : objets cultes, culte des objets
Cette part de rêve que chacun porte en soi
La condition féminine – Littérature d'idées
Contes populaires de Palestine
La Dernière Lettre – Paroles de Résistants fusillés en France (1941–1944)
Histoires vraies – Le Fait divers dans la presse du XVIe au XXIe siècle
La Farce de Maître Pierre Pathelin
Les Grands Textes du Moyen Âge et du XVIe siècle
Les Grands Textes fondateurs
Informer, s'informer, déformer ?
Initiation à la poésie du Moyen Âge à nos jours
Je me souviens
Nouvelles francophones
Poèmes engagés
Pourquoi aller vers l'inconnu ? – 16 récits d'aventures
La Presse dans tous ses états – Lire les journaux du XVIIe au XXIe siècle
La Résistance en poésie – Des poèmes pour résister
La Résistance en prose – Des mots pour résister
Sorcières, génies et autres monstres – 8 contes merveilleux

SÉRIE BANDE DESSINÉE (en coédition avec Casterman)

Beuriot et Richelle, *Amours fragiles – Le Dernier Printemps*
Bilal et Christin, *Les Phalanges de l'Ordre noir*
Comès, *Silence*
Ferrandez et Benacquista, *L'Outremangeur*
Franquin, *Idées noires*
Manchette et Tardi, *Griffu*
Martin, *Alix – L'Enfant grec*
Pagnol et Ferrandez, *L'Eau des collines – Jean de Florette*
Pratt, *Corto Maltese – La Jeunesse de Corto*
Pratt, *Saint-Exupéry – Le Dernier Vol*
Stevenson, Pratt et Milani, *L'Île au trésor*
Tardi et Daeninckx, *Le Der des ders*
Tardi, *Adèle Blanc-sec – Adèle et la Bête*
Tardi, *Adèle Blanc-sec – Le Démon de la Tour Eiffel*
Tardi, *Adieu Brindavoine* suivi de *La Fleur au fusil*
Tito, *Soledad – La Mémoire blessée*
Tito, *Tendre banlieue – Appel au calme*
Utsumi et Taniguchi, *L'Orme du Caucase*
Wagner et Seiter, *Mysteries – Seule contre la loi*

NOTES PERSONNELLES

NOTES PERSONNELLES

NOTES PERSONNELLES

Couverture
Conception graphique : Marie-Astrid Bailly-Maître
Illustration : Yoshitomo Nara, *Hothouse Doll*, 1995, acrylique sur coton,
120 x 110 cm © Yoshitomo Nara/courtesy Tomio Koyama Gallery.

Intérieur
Conception graphique : Marie-Astrid Bailly-Maître
Édition : Anne Demarty
Réalisation : Nord Compo, Villeneuve-d'Ascq

Aux termes du Code de la propriété intellectuelle, « toute reproduction ou représentation intégrale ou
partielle de la présente publication, faite par quelque procédé que ce soit (reprographie, microfilmage,
scannérisation, numérisation...) sans le consentement de l'auteur ou de ses ayants droit ou ayants
cause, est illicite et constitue une contrefaçon sanctionnée par les articles L. 335-2 et suivants du Code
de la propriété intellectuelle ».
L'autorisation d'effectuer des reproductions par reprographie doit être obtenue auprès du Centre français d'exploitation du droit de copie (C.F.C.) – 20, rue des Grands-Augustins – 75006 PARIS –
Tél. : 01 44 07 47 70 – Fax : 01 46 34 67 19.

© Éditions Albin Michel, 2000
© Éditions Magnard, 2010, pour la présentation, les notes,
les questions, l'après-texte et l'interview exclusive.

www.magnard.fr
www.classiquesetcontemporains.com

Achevé d'imprimer en juillet 2019
par «La Tipografica Varese Srl» Varese en Italie
N° éditeur : 2019-0339
Dépôt légal : juin 2010